汉字日本

【日】茂吕美耶 著

当代中国出版社
Contemporary China Publishing House

汉字日本

【日】茂吕美耶 著

当代中国出版社
Contemporary China Publishing House

2021年·北京

《汉字日本》［日］茂吕美耶 著
通过北京同舟人和文化发展传播有限公司（E-mail: tzcopypright@163.com）
经作者茂吕美耶授权给当代中国出版社
在中国大陆发行中文简体字纸质版和电子书版权，该出版权受法律保护，非经书面同意，不得以任何形式任意重制、转载

版权合同登记号 图字：01-2020-6389

图书在版编目（CIP）数据

汉字日本 /（日）茂吕美耶著 . -- 北京 : 当代中国出版社，2021.6
ISBN 978-7-5154-1107-1

Ⅰ . ①汉… Ⅱ . ①茂… Ⅲ . ①汉字—对比研究—中国、日本 Ⅳ . ① H12 ② H361

中国版本图书馆 CIP 数据核字（2021）第 003427 号

出 版 人　曹宏举
责任编辑　隋　丹　葛灿红
责任校对　康　莹
印刷监制　刘艳平
封面设计　胡椒设计
出版发行　当代中国出版社
地　　址　北京市地安门西大街旌勇里 8 号
网　　址　http://www.ddzg.net　邮箱：ddzgcbs@sina.com
邮政编码　100009
编 辑 部　（010）66572264　66572154　66572132　66572180
市 场 部　（010）66572281　66572161　66572157　83221785
印　　刷　北京润田金辉印刷有限公司
开　　本　880 毫米 × 1230 毫米　1/32
印　　张　6.875 印张　1 插页　110 千字
版　　次　2021 年 6 月第 1 版
印　　次　2021 年 6 月第 1 次印刷
定　　价　45.00 元

目录

食衣住行篇

身体健康篇

教养学习篇

社会生活篇

前言：日制汉语词

如果我说，“经济”“社会”“哲学”“人权”“解放”“主义”“知识”“文化”等词语是日本人最早提出的，是不是会令许多以汉语为母语的人跌破眼镜、摔倒在书桌前？

实在很抱歉！不过，这是事实。所以请各位读者先重新戴上眼镜，不戴眼镜的人也请您爬起来，再度坐下来听我娓娓道来吧。

清末，尤其是鸦片战争以后，中国成为各列强的侵略对象，逐渐沦为半殖民地。一些忧国之士，如康有为、梁启超、谭嗣同等人，主张中国应该仿效日本的明治维新，于是发起戊戌变法。

百日后，慈禧太后发动政变，幽禁光绪帝，捕杀谭嗣同等六人，通缉康有为、梁启超，罢免维新派官员数十人，废除光绪帝颁布的新政诏令。结果戊戌变法失败，康有为、梁启超等人逃亡日本。

梁启超到了日本后，在横滨创办了报纸《清议报》与杂志《新民丛报》，一方面继续鼓吹维新运动，另一方面积极介绍日本的国情民风，并呼吁中国知识分子学习日语、勤读日文书。

他在创办的报纸与杂志中频繁使用了日制汉语词。由于当时日本有众多外文翻译书，一些中国原本不存在的西方表达思想、主义的词汇，日本翻译家早就创出日文名词。因此梁启超大量运用这些日制汉语词，将新知识介绍回中国。

接着是中国的留日热潮。

1896 年，第一批到日本的中国留学生仅有 13 人，但在 1905 年时，竟然骤增至 8000 人。据说，1896 年至 1937 年中日战争爆发之前，总计有 6.1 万多名中国学生陆续到日本学习新知识，其中正式自学校毕业的不及 1.2 万人。

这些留日学生在习得日文后，马上动手翻译各种日文书，在中国刮起一股日文翻译书的旋风。

当时的翻译书包括政治、经济、哲学、宗教、法律、历史、地理、医学、军事、文学、艺术等。根据 1945 年的数据记载，那时被译成中文的日文书多达 2600 种。

当时的留日学生不但组成“翻译组织”，创办《译书汇编》《游学译编》杂志，甚至组成“教科书译辑社”团体，将日本所有中学生教科书全部翻译成中文。除了翻译日文书之外，留日学生写的文章也都大量引用日制汉语词。反正都是汉字，不需要重新翻译成中文。

1919年“五四运动”以后，中国文坛出现许多留日派作家，主要人物有鲁迅、郭沫若、郁达夫、田汉、夏衍。这些中国新文艺代表作家也都积极在自己的文章中使用日制汉语词。例如中国大文豪，也是中国新文艺领导者——鲁迅，就强烈主张旧有汉语不够用，必须导入外来语。

鲁迅的文章，中国味非常浓厚，但是仔细寻找，还是可以找到“万年笔（钢笔）、日伞（洋伞）、人力车、定刻（定时）、构想、直面（面临）、车掌（乘务员）、残念（遗憾）、夕方（傍晚）、丸（圆）、时计（时钟）、名所（名胜）、写真（照片）”等日制汉语词。

对于大量日制汉语涌入中国这事，有人赞成，有人反对。梁启超是赞成派的代表，另一位翻译大师严复是反对派的代表。梁启超虽是赞成派代表，但有些词，他起初也无法接受，例如“经济”“社会”这两个词。

严复主张中国古语中有“经世济民”这个词，可是“经世济民”是整治世间、救济人民的意思，应当相当于“政治”，而非“经济”。

于是，梁启超用“资生学”“富国学”“平准学”；严复用“计学”，各自取代了“经济”。

其他例子有：物理学→格致学、地质学→地学、矿物学→金石学、杂志→丛报、社会→人群、论理学→名学、原料→天产之物、功利主义→乐利主义……；前者是日制汉语词，后者是当时翻译的汉语。

这两种词汇曾经共存了一段日子，结果日制汉语取得最终胜利，梁启超也就不得不使用“经济”“社会”“哲学”等这些日制汉语词。

另一点很有趣，为了翻译日文书，当时的翻译家“基于”日文文法，也不得不创出一些汉语新词：基于、关于、对于、由于、认为、成为、视为……这些都是自日文文法翻译成汉语的词。

其实前述这些由来，不要说是中国人了，日本人也少有人知道。我是因为经常使用中日、日中辞典，本就稍有涉猎，后来详细搜集这方面的资料，才知道现代汉语有关社会、人文、科学方面的术语中，大约有上千的词属于日制汉语词。所以先前跌破眼镜的人请不用哀叹，因为老实招来，我是第一个先跌破眼镜并且摔得四脚朝天的人。

什么？这没什么好惊奇的，不值得摔到椅子下？好，那么再来一段：

共产党、干部、指导、社会主义、市场、福祉、营业中、人权、特权、背景、化石、环境、艺术、医学、独占、交流、否定、肯定、假设、解放、供给、说明、方法、共同、阶级、公开、希望、法律、活动、命令、失踪、投资、抗议、化妆品、银行、空间、警察、景气、经验、经济恐慌、现实、元素、建筑、杂志、国际、紫外线、酵素、时间、市长、失恋、宗教、集团、新闻记者、接吻、蛋白质、抽象、通货收缩、通货膨胀、电子、电报、电话、传染病、投资、图书馆、悲剧、否定、否认、舞台、方程式、蜜月、本质、无产阶级、领海、领空、领土、冷战、论坛……

对不起，不写了，上千词，累呀。

总而言之，我非常佩服二战前的日本翻译家，他们真是伟大。反观现代的日本翻译家，明明有旧有日制汉语可以替代的词，却硬要翻成音译片假名，以炫耀自己的外语知识，使得一些上了年纪的日本人在报上读者投稿专栏叹道："我越来越看不懂现代日文。"

所幸，20 世纪 90 年代末，日本政府一声令下，将行政机关内流通的公文或是政令文宣中一些杂七杂八的音译词，通通改为原本就已存在的日制汉语词，以免国民看不懂。

老实说，无论中文简体或繁体还是日本汉字，我倒希望全部能通用，不必去计较到底是哪国人创造的。何况现代是网络时代，信息传得很快，倘若汉字能通用，不是很省事吗?

例如日本的“萌”字流传到中国台湾和大陆，大家一提起“萌”，不用多解释便大抵能明白其意思，多么方便呀。

又例如日文的つんでれ(tsundere)，传到中国台湾被翻译为“傲娇”，之后又传到日本，在日本大型网络论坛 2ch 曾掀起一阵赞叹风潮。毕竟日本人也看得懂汉字，大致知道“傲”和“娇”的意思，于是不少人纷纷说“不愧是汉字大国”“这个词翻译得太好了”。

遗憾的是，现代日本媒体大多将外来语直接音译，甚至到了滥用的程度。

最近，我看别人家的博客或网络新闻，经常碰到看见某个片假名词汇，竟不知其意的例子，还得查网络字典，实在很麻烦。

最令人感叹的是查出的结果往往另有往昔的汉字词汇可代

替，真不知该说我已经老了，还是说现代的日本年轻人太不用功了?!

附记：这篇文章的主要参考资料取自上海外国语大学陈生保教授所发表的论文（陈教授另有相关方面的日文著述）。

此篇文章则于1999年10月31日发表在我以前的“日本文化物语”网站。因网站早已改版，旧文章也已删除，但这篇文章竟在网络上传来传去。若有人在网络上看过类似的文章，应该都是转贴自我当时发表的此篇文章，而非我抄袭网络上的。

日文汉字豆知识

日本的姓氏

根据官方统计，中国人口有 14 亿多，据说现在通用的姓氏约有五六千种，几乎都是单姓，若包括全体 56 个民族，姓氏总数则有上万种。

韩国人口约 5000 万，姓氏却只有 500 种。日本人口将近 1 亿 3000 万，姓氏却高达 10 万以上。《日本姓氏大辞典》更收集了 29 万种姓氏。排行首位的“铃木”也只占总人口的 1.8% 而已。

因此，同样是日本人，拿到名片却叫不出对方的姓氏发音，并非罕事。

例如，“四月一日”发音是“watanuki”，因为往昔阴历的四月一日是“脱”（nuki）下“棉”（wata）袄的更衣时期（现代日本则是六月一日和十月一日），所以姓氏汉字虽是“四月一日”，发音却是“棉脱”；“小鸟游”发音是“takanasi”，无（nasi）鹰

（taka），小鸟才能四处游玩，也就是说姓氏虽是“小鸟游”，发音却是“鹰无”。

日本的姓氏如此多，是因为在明治维新之前，平民不能冠姓，只有名字或通称。古代日本贵族和古代中国一样，“姓”与“氏”不同，例如《源氏物语》中的主角光源氏，本为皇子，后来降为臣籍，皇上封他“源”姓。

而日本史实中，第一位实施此方式的天皇是嵯峨天皇（在位期间 809 至 823 年），之后的天皇也依样效法，赐予皇子、皇孙“源”姓，结果贵族便有“嵯峨源氏”“清和源氏”“宇多源氏”等根系。

换句话说，“嵯峨”是“氏族”，“源”是“姓”。日后又从“源氏”分成许多旁系，这时，“源”就代表“氏族”。战国时代[①]有不少大名喜欢强调自己是“源氏”后裔，也不过是想抬高自己的出身阶级而已，真假则不得而知。

古代中国先有“姓”，后有“氏”，由于是母系社会，因此“姓”起于女系，“氏”起于男系。日后社会逐渐以男子为主体，“姓”便改从男系。秦汉以后，“姓”与“氏”才合一，这时老

---

① 日本的战国时代（1467—1615），一般指日本室町幕府后期到安土桃山时代。——编者注

百姓也通常都有姓氏了。而当时老百姓取姓氏时，一般均以出生地、封国、职业、技艺等为主。

日本于明治维新后，准许庶民取姓氏时，大家也都纷纷以出生地、职业等为姓，才会有这么多令同是日本人却念不出对方姓氏发音的奇名怪姓。

以上是前言，免得又有人以讹传讹，嘲笑日本人的姓氏由来。接下来才是我想说的正文。

中国大陆与韩国，女人婚后通常不改姓，日本却 95% 以上都改为夫姓。中国台湾女人于婚后，往昔好像是在娘家姓上冠上夫姓，现在似乎都各姓各的。

韩国女人不冠夫姓，据说是基于门第血统以男人（丈夫）为主，民法也规定孩子必须冠父姓。日本女人婚后改姓，则只是惯例而已，表示她愿意与丈夫结成连理枝，成为丈夫家人，死后，骨灰可以埋进丈夫家坟墓。这是一种“嫁鸡随鸡、嫁狗随狗”的传统。

日本法律没有规定女人一定要改为夫姓，但按户籍法①，夫妇必须姓同一种姓，因此男女到市政府提交婚姻登记时，男方

① 户籍法：只限双方都是日本国籍的男女，国际婚姻的例子另有法规。

可以改为女方姓，女方也可以改为男方姓。而男方改为女方姓时，并非中国所谓的“入赘”。

万一夫妻不得不离婚时，女人得再改一次姓，于是有人恢复旧姓，也就是未婚前的姓，也有人因社会认知问题而沿用离婚前的夫姓（或妻姓）。

在我看来，这种制度的最大牺牲者便是孩子。

父母离婚后，倘若孩子户籍归母亲，孩子便得改姓；而日本夫妇离婚时，如果是双方同意签名盖章（另需有两位证人的签名盖章）向市政府提交婚姻解除登记，孩子通常归母亲这方。万一闹到地方法院，则看父母哪方经济能力比较强，孩子便归有抚养能力的那方。

不知是几年前，韩国女权运动中有一项“姓氏改革”，提倡应该让孩子冠父母双方的姓。比方说，父亲姓“金”，母亲姓“李”，孩子便是“金李某某”。

据说这活动在当时已在一些年轻人之间以昵称流行开了。只是若真的正式采用这种方式，那么，“金李某某”与“崔郑某某”的孩子，不就得叫成“金李崔郑某某”？

以此类推，在外国人看来，是个相当有趣的话题；但对当事人韩国人来讲，可就一点也不好笑了。正如民意测验的结果，

80% 的人都反对。

日本女权运动中有一项活动也是“姓氏改革”，高唱“夫妇别姓”。意谓即使是婚后，“小女子我”也要继续冠娘家姓。也不知闹了几年，1996 年法制审议会才申明将考虑改正某部分民法。

有趣的是，某些已经不可能改姓且怀中有亡夫留下的大把退休金的寡妇阿嬷族，却在进行“死后不进丈夫家坟墓”的“地下活动”。

日本是父、母、传后男子与其妻子，代代骨灰都共同埋在该家菩提寺同一座坟墓内，墓碑只刻着“某某家之墓”，一旁再刻上各自的名字。

菩提寺是佛教寺院，江户时代德川幕府为保护佛教，规定人死后，坟墓必须设在寺院，因此大部分日本人所属的菩提寺内（有宗派之别），都有祖宗八代以上的人名簿。次子以下的男子不能进祖籍坟墓，通常另找菩提寺自己设坟墓。

嫁出去的女儿因姓氏不同，不能进娘家坟墓。所以上述那些阿嬷族便打算自己盖坟墓。原因只有一个：干吗死后还得在同一座坟墓内和婆婆以及生前把老婆当下人的丈夫闹别扭？

坦白说，我对女权运动没兴趣，总觉得“男女有别”是天经地义之事。这是我从实际生活中得出的教训。

不过，我这样说也并非表示我反对女权运动。只是在我看来，男与女，其实就跟共同生活在一个屋檐下的猫与狗一样。猫一开口，永远叫不出“汪汪”；狗一兴奋，也毕生哼不出一句“喵……”。只要彼此承认自己在某些方面永远不如对方，不是也能快快乐乐共同过一生？

话虽如此，我还是赞同“夫妇别姓”。

我本来姓“松原”（我父亲的姓），婚后改姓为“茂吕”。离婚时，由于两个孩子当年仍是小学生，若改姓，他们肯定会在学校遭遇种种冷嘲热讽，于是我只要求让孩子跟在我身边，孩子的户籍仍归爸爸，不改姓。而我同前夫离婚时，本来也可以恢复旧姓“松原”，但考虑到“住民票”上的母子姓氏不同，日常生活会发生众多不方便之处，只得沿用前夫的姓“茂吕”。

在日本，户籍和住民票的用法不一样，户籍可以一直搁在老家，也可以随意迁移，即便把户籍设在迪斯尼乐园地址也没有问题。

但住民票则类似市民身份证，每逢搬家到其他市镇，就得到两边市政府去办撤销与登录市民手续。而且所有相关证明，例如健保卡、驾照等都要更改地址。户籍誊本（户口誊本）平常根本用不到，除了提交婚姻证明、办护照以及其他特殊场合时才需要。

举实例来说可能比较清楚：我前夫的户籍内，“笔头者”（家长）是前夫名字，妻子栏有我的名字，但因离婚，我的名字被打个叉叉，之后才是前夫再娶的妻子名字。孩子栏则有我家两个孩子的名字。而我的户籍，只有我的名字。

顺带提一下，由于离婚后，女人在夫家的户籍上会被打个叉叉，表示已脱离户籍，因此日本人（不分男女）形容自己离婚一次或离婚两次时，惯用“×1”[①]或“×2”[②]来形容。虽然现在已经不会打叉叉了，又因隐私权，户籍誊本上也不会出现离婚资历，但一般人仍惯用“×1”“×2”的形容词。

话又说回来，住民票和户籍的性质又不同了。例如我家在所泽市的住民票上，笔头者是我的名字，同居人是两个孩子的名字，关系栏写的是“母子”。但前夫在他所住的市镇住民票上，笔头者是前夫的名字，同居人却只有现任妻子的名字，没有孩子的名字。

总之，住民票是市政府管理市民的一种行政方式，而且住

① ×1：バツイチ。batsuichi。

② ×2：バツ二。batsuni。

民票的有效期限只有 3 个月。由于日本人没有身份证，一般日本人到银行、邮局开账号或需要身份证明才能办妥事情时，通常用健保卡或驾照。

这样举实例说明，大家是不是可以稍微理解我赞同“夫妇别姓”的理由？

因为……万一……倘若……我想再嫁时，我就必须再改一次姓氏。不但户籍要改，住民票要改，健保卡要改，驾照要改，护照也要改……甚至连往后的养老金证明卡的姓名和账号都要改……天哪，真是烦呀。干脆不嫁人也。

训读与音读

外国人学日语时，最头痛的，应该是明明同一个汉字，却有好几种念法。

例如，“生”这个字，表示“活”“新鲜”时，念成“i”；表示“真正”“纯粹”“纯正”“一本正经”时，念成“ki”；表示“生”“生活”“生死”“有生之年”“学生”时，念成“sei”；表示没有经过消毒或煮沸时，念成“nama”；表示“杀生”“生命”的时候，念成“shou”；表示“发育”“成长”“前途”“出身过程”时，念成“o”；表示“长牙”“长草”“生根”时，念成“ha”。

如果你问日本人：为什么日本人能够分辨出这么多种的念法呢？日本人大概也会被问倒，即便眼球转了好几圈，恐怕也答不出来。

毕竟一般百姓通常不会思考这种学问性的高尚问题，但学识高一点的知识分子或精通两种甚至三种语言的人，便会深切地体会到“日语中的汉字实在很高深”。

在我看来，同样是汉字，中国的汉语就比较简单。

比如，汉语的“生”，只有一个音。用这个“生”字去配其他汉字，便组成一个词。而且这个词的发音和意义不会变化。

现代汉语通常一个汉字一个音节，每个字都有其固定字义，两个字组成一个词。虽然某些音译外来语有三音节或四音节的词，如“巧克力”“白兰地”“盘尼西林”“歇斯底里”等，但大多都是两个音节构成一个词。

据说现代汉语中大约有 400 多个单音节，英语有 3000 多个。那么，日语呢？根据日本某些语言专家的说法，日语的音节顶多只有 100 多个。也就是说，外国人在学日语发音时，不像除了音节还有音调的汉语那般复杂，比较容易学。至少比英语的音节更容易学。

问题正是出在利用少数的音节去配多数的汉字这点，才会出现一大堆同音异义的词，导致连首相也会念错字。

吴 音

全球最古老的文字是古埃及文字和楔形文字，大约在公元前 3000 多年便已经非常发达。在这之前的几十万、几百万年，人类都是靠语音进行思想与信息的传播。比起语音，文字的历史其实很短。

汉字的历史几千年，而日本人开始普遍并大量使用汉字的时期，据说在 4 世纪之后，距今约 1700 年。日本的 4 世纪是古坟时代，由于缺乏文字纪录，史家称此时代为“空白的 4 世纪”。

汉字传入日本之前，日本人当然有固有的语音沟通手段，他们称高高隆起的地形为“yama”，称养着众多鱼类、贝类的盐水为“umi”，称生了自己并养育自己的女子为“haha”。汉字传进来后，日本人再于固有语音配上“山”“海”“母”等字，于是固有语音便成了训读。因此，日本人只要用耳朵听训读的语音，不用看文字也能明白对方的意思。

不仅日语有训读，往昔的越南语、朝鲜语，都有类似日本的训读读音。现代英语也有类似训读的说法，比如美国人到唐人街吃饭时，把汉字的“炒饭”形容为“fried rice”，这算是英语的外来语或直译吧。连我这种不太懂英文的人，看到“fried rice”这个词，也能明白对方说的意思应该是“炒饭”。

除了训读，汉字另有中国人使用的固有发音，传入日本后，便成为音读。目前日本人使用的汉字音读大致可以分为“汉音”“吴音”“唐音”三种。

最早传入日本的汉字发音是“吴音”。

“吴”是春秋时代的吴国，位于长江下游，后期国都是今江苏省苏州，日本人即便说不出夫差和勾践的名字，也大多学过“卧薪尝胆”“吴越同舟”的故事。

日本古籍中记述的“吴”便是指这个地名的“吴”，发音为“kure”，例如“吴蓝”（靛青染）、“吴机织”（织布机），意指长江下游的染布法或织布法。

另一个“吴”是魏晋南北朝时期的吴国，发音为“go”，南朝包括宋、齐、梁、陈等四朝，北朝是北魏、东魏、西魏、北齐和北周五朝。北朝是少数民族王朝，和日本没有邦交；汉人南朝建都于今南京，与之前同样建都于南京的孙吴、东晋合称“六朝”。

最初是古朝鲜半岛西南部国家的百济人（346 至 660 年，韩国的官方教科书则根据建国神话采用公元前 18 年至 660 年），因故迁居至日本，也一起带汉字进来。

这些百济人大多定居在日本九州岛北方的长崎县玄界滩的

对马岛。换句话说，日语中的所谓“吴音”，并非直接传自魏晋南北朝的吴国，中间另有百济人、对马岛人当中介。而且不是一次性地大量传入，而是时断时续，经年累月地传入，长达两三个世纪之久。

汉 音

7 世纪至 9 世纪，日本陆续派遣使节团前往唐朝吸收社会制度以及文化，遣唐使的次数大约 20 多次（关于次数有其他说法），期间长达 200 多年，最后一次是平安时代初期的 838 年。

菅原道真于 894 年就任遣唐大使后，建议废除遣唐使，之后便再也没有继续。唐朝则于 907 年灭亡。

遣唐使每次出海，都有四五百人分别乘坐四艘船渡海。当时航海技术还未成熟，不但没有指南针，坐的也是木船，因此遣唐使经常遭遇海难。

不过，即便冒着性命危险，日本国内的精英仍愿意出海迢迢前往大唐。这些精英回国后，均能登上政治及文化方面的领导宝座。

这些人在长安（西安）学的汉语正是汉音，当时的人称为

“正音”。

上古汉语的江南话（吴语）和中古汉语的官话（西安话）当然不一样，于是这些海外归国精英便很蔑视吴音，极力排斥已有数百年历史的吴音，他们认为吴音是乡巴佬的口音。

但是，书名和人名等固有名词，以及佛教、医术方面的用词，几乎全是吴音。看来，这些自海外归国的精英再怎么排斥，似乎也无法根绝长达数百年的语音习惯。

如此，吴音和汉音混杂一起，缺乏教养的庶民使用吴音，知识分子开口闭口都是汉音。有点类似明治初期的知识分子，认为只有英文或法文才是“文明话”，连作家写文章时也要夹杂几句英文。

当时的桓武天皇[①]竭力鼓励汉音，甚至下令规定人们必须使用汉音。这可以说是国家层面的重大教育事业了。

据说到了最后，吴音也没有灭亡，反倒与汉音和平共存。吴音主要用在佛教方面，汉音则用在儒学方面。现代日语也是吴音、汉音混在一起，只是日本人没有特别去意识此刻说的语音到底是吴音、汉音甚或日本固有的和音。

我举个例子给大家看：

① 桓武天皇（737—806）：かんむてんのう。Kanmu Tenno−。日本第50代天皇。

十一月の三日は祝日で、ちょうど日曜日です。(日文)

十一月三日是节日，刚好是星期天。(中文)

中文的两个“日”字，发音一样；但日文中有四个“日”字，发音却都不一样。“三日”的“日”发音是“ka”,“祝日”的“日”发音是“jitsu”,“日曜”的“日”发音是“nichi”，最后一个“日”发音是“bi”。

四个“日”字的发音，恰恰包含了吴音、汉音以及日本固有的和音。“nichi”是吴音，“jitsu”是汉音，“ka”和“bi”则是和音。

日本人会念错吗？不会。让小学生来念，也不会念错发音。因此，一些语言专家在著作中提到此事时，大抵都会重新痛感“原来我们日本人每天都在大脑中进行类似计算机打字的语言转换功能”。

坦白说，写这篇文章之前，我也没有意识到这件事。因为念起来太自然了，我完全没有考虑到“对呀，不过一句话而已，同样的字竟有四种发音，我怎么不会念错呢？”这种学术性的高级问题。

我想，大部分的日本人应该都和我一样，只是很自然地念出来而已，不会去想那些有的没的会破坏脑细胞的复杂问题。

唐 音

另一种汉字的音读称为“唐音”。这里说的“唐”并非指李白、杜甫那个时代的“唐”，而是自宋朝算起，直至元、明、清三朝为止的时代。

换算成日本的历史，则为平安时代中期（10世纪左右）、镰仓时代、南北朝时代、室町时代、安土桃山时代（俗称战国时代）、江户时代。

这时期，有许多商人和禅宗僧侣陆续渡海来日本，他们说的汉语主要是南方口音，但范围非常广。

由于日本的学校不教唐音，一般人比较难以分辨到底什么语音才是唐音。但根据语言专家所说，日语的日常用语“椅子”①、“蒲团、布团”②、“暖帘”③等，都是明清时代在长崎活动的贸易商传进日本的发音，也就是唐音。

---

① 椅子：いす。isu。

② 蒲团、布团：ふとん。huton。

③ 暖帘：のれん。noren。

中国的暖帘是北方人在门口挂的长达地面的厚棉被帘，用于防寒；日本的暖帘则是店铺门口挂的布帘或绳帘，上面印着店家商号或标志，表示该店家的招牌。店家挂上暖帘，意味着开始营业；卸下暖帘，就是店家打烊或休息时间。

往昔，我在河南郑州生活时，店家及商铺于冬天一定会在门口挂上比棉被还厚的暖帘，因此我明白中国北方的暖帘到底是什么玩意儿。大陆古装电视剧《甄嬛传》中经常出现“暖帘”，看得我极为怀念。总之，中国和日本的暖帘，两者完全风马牛不相及。

为何中国北方人用的防寒棉被帘会经由中国南方人传到日本，并留下南方口音的唐音发音，这点恐怕连日本语言专家也答不出来吧。

话说回来，吴音听起来比较软，汉音听起来则比较硬。这点和日语类似，东京的关东语（标准语、全国共通语）也是听起来比较硬，有点拒人于千里之外的感觉，NO 就是 NO，毫无转圜余地。而大阪、京都那方面的关西语听起来比较软，而且很会转圆圈，你明明在说东，对方会把话题转到西，根本吵不起来。

不过，根据关东人和关西人夫妇或情侣的经验谈，关西人发怒时很骇人，但关东人生气时似乎也是规规矩矩，很有礼貌，缺乏威势。

关西人上英语课时，英语的“How are you ？”和“I’m fine, thank you”，在他们来说，是“生意好吗？”“差不多啦”之意。

意思是，关西人见面打招呼时，用词和关东人不同，类似中国的台湾人向人打招呼时，通常会说“呷霸没？”（吃饱了没有？），而不会说“你好”“早安”之类的问候语。

汉字与日本的点点滴滴

日本人于何时开始用汉字写文章？

一般说来，只要向日本人提起埼玉县稻荷山古坟出土的铁剑，对方大抵会点头说“啊，我知道那把铁剑……”。但是，知道归知道，对方可能也说不出个中详情。虽然高中日本史教科书必定会出现这把铁剑，只是，当我们毕业后，除非个人对日本史深感兴趣，否则通常会把在学校学来应付考试的知识置之脑后。

据说这把“金错铭铁剑”[①]的国宝是5世纪的遗物，剑身表里刻着总计115个汉字组成的文章，其中包括了日本的专有名词。

---

① 金错铭铁剑：きんさくめいてっけん。kinsakumei tekken。

表：

辛亥年七月中记、乎获居臣、上祖名意富比垝、其儿多加利足尼、其儿名弖已加利获居、其儿名多加披次获居、其儿名多沙鬼获居、其儿名半弖比。

里：

其儿名加差披余、其儿名乎获居臣、世々为杖刀人首、奉事来至今、获加多支卤大王寺在斯鬼宫时、吾左治天下、令作此百练利刀、记吾奉事根原也。

日本学术界通常认为“辛亥年”为471年，但也有531年的说法。“获加多支卤大王”指的是《日本书纪》中的“大泊濑幼武尊”[①]，亦即第二十一代雄略天皇[②]。

看汉字，明显依据古代日文发音拼凑汉字，却又留有古代汉语的意义。由此看来，这可能是利用汉字表达古代日文的初期阶段。也就是说，是用汉字翻译出的日文，因此人名只能音译。

① 大泊濑幼武尊：おおはつせわかたけるのみこと。Oohatsusewakatakerunomikoto。

② 雄略天皇（418—479）：ゆうりゃくてんのう。Yu-ryaku Tenno-。

此外，再考虑到古汉语和日语的文章词序不同，即便全篇以汉字写出的文章，若词序是按日文的文法排列，便能推断该文章是翻译自日文的汉文。就此观点来看，应该自 7 世纪左右起，才出现原文是日语，却全部用汉字写出的例子。

日本最早的正史《日本书纪》于 720 年完成，看似全篇都是汉文，其实分为两部分，一是正规汉文，另一是日文文法的汉文。倘若让中国人阅读《日本书纪》原文，大概会读得莫名其妙，而类似我这种中日文均懂的人，则会读得捂嘴偷笑。

日本人的日常生活中到底该用多少汉字？

在日本社会实际被使用的汉字种类相当多。根据日本文化厅国语课于 2000 年公布的“汉字出现频度调查”，总计有 3330 万又 1934 个汉字。调查对象是以凸版印刷排版的 385 册书籍。

若按常用汉字、人名用汉字、第一水平汉字、第二水平汉字等类别区分，竟然有 8474 种汉字。换句话说，你若想全部读懂调查对象的书籍，你必须认识 8474 个汉字。不过，据说只要认识占上位的 2457 种汉字，你便能读懂调查对象书籍的 99% 的内容。剩下的 1% 就用猜的吧。

我查了纪录，居首位的汉字是“人”，而排在第 2457 名的汉字是“铠甲”的“铠”。这个字的确有必要记住，假若读不懂这个字，那你就别想读日本的历史读物了。

最让我惊奇的是排在第 2456 名的汉字“炒”。刚看到时，还在奇怪这个字怎么排在这么后面呢?

后来我到日本网络去问，有人回答说，日本人煮菜时不用“炒”，所以这个字在往昔不常用，但现在许多家庭的饭桌会出现中国菜，而且都用计算机打字，因此这个字在网络很常见。原来如此。

再根据同一调查的报告，据说只要认识排在前面的 2602 个汉字，便能读得懂现代的《读卖新闻》2 个月份中出现的 99.9% 的汉字。

我再查纪录，排在第 2602 名的汉字是“哑”。有道理，这个字在日本已经成为歧视字，新闻记者或作家应该不会乱用，现在都以“嘴巴不自由”“耳朵不自由”等形容词代替“哑”“聋”了。

但是，要认识 2600 个汉字也是一件很辛苦的事呀。如果除掉新闻上的固有名词及学术用语，至少也要认识 2500 个汉字才能读懂日本的新闻或杂志。倘若当事人很喜爱阅读，平日便时常阅读各方面的书籍，那他至少要认识 3500 个汉字才行。

3500 个……我不禁歪着头暗忖：我过去写的书，总计有这么多汉字吗？我真的认识 3500 个汉字吗？

答案是：没有把握。

日本政府于 2010 年公布的常用汉字有 2136 个字（读音却有 4388 种），只要认识这 2000 多个汉字，阅读一般新闻或杂志时应该都没问题。真正令人头痛的是读音。

2010 年的常用汉字多了 95 个汉字，词语则增加了 4 个：叔父（伯父）[①]、叔母（伯母）[②]、凸凹[③]、栈敷[④]。

真希望日本作家能多多利用“叔父”“叔母”“伯父”“伯母”这四种称呼，免得读小说时，老是弄不清小说中描述的“欧吉桑”或“欧巴桑”到底是父亲还是母亲这方的亲戚。

何谓常用汉字？人名用汉字？第一水平汉字？第二水平汉字？

常用汉字是根据日本文部科学省文化审议会国语分科委员

① 叔父（伯父）：おじ。oji。

② 叔母（伯母）：おば。oba。

③ 凸凹：でこぼこ。dekoboko。

④ 栈敷：さじき。sajiki。看台、楼座。

会的方案，再由政府公布的现代日语汉字标准，亦即法令、公用文件、报纸、杂志、广播等一般日常社会生活中，书写现代国语时，对汉字使用的依据。

当用汉字是日本于第二次世界大战战败后，日本政府于1946年（昭和二十一年）11月16日发布的《当用汉字表》中所公布的汉字，共计1850个字。目的是限制继而废除日文中的汉字，也就是“国字改革”运动。幸好此运动失败了。

新字体是日本民间常用的简略字，也就是笔画比较少的简写字。

人名用汉字是常用汉字以外的汉字，可以用在户籍名字上的汉字，目前总计有983个。

提到人名用汉字，我想起自己的名字“美耶”。这个“耶”字并非常用汉字，而是人名用汉字，因此在电话中碰到要报出自己的全名的情况时，往往令我头痛得很。

对方若是以汉语为母语的人，我只要说明是“耶稣的耶”，再开玩笑说“我是美丽的耶稣”，对方应该可以马上明白到底是哪个“耶”。但若要向日本人说明，我必须说“左边是汉字的‘耳’，右边是右耳旁”。

结果，十例中有十例都写错了，寄来的文件几乎都写成

“美那”。右边的右耳旁虽然没有写错，但左边怎么看都不是汉字的“耳”嘛。何况“那”和“耶”的发音不一样。不仅名字，有时连“茂吕”这个姓也会写错，把我改名为“毛吕美那”。

不过，这也不能怪对方，毕竟“耶”字在“汉字出现频度调查”中是排在第2540名。也就是说，即便读得懂调查对象的将近400册书籍之99%内容的日本人，也不见得认识这个“耶”字。所幸“耶”字在“网络出现频度”中排在第1922名，这大概拜计算机所赐吧。

写到此，我又想起1993年发生的“恶魔君命名骚动”。

话说1993年8月11日，东京都昭岛市市政府接到某名被取名为“恶魔”的男婴出生申请。由于“恶”和“魔”均属于常用汉字，市政府的公务员便受理了。不料，市政府向法务省民事局询问是否应该受理此命名后，法务省民事局竟以“此命名可能损害到男婴的福祉，属滥用父母权利”之由而退回。

之后，亲生父亲的申请者再以和“恶魔”同音的别字申请，依然被拒绝。申请者到东京家庭案件法院状告，最后竟和市政府抗争到东京高等法院。媒体大肆报道此事件，使得当时的日本全国百姓都知道事件的来龙去脉。

申请者和市政府大约闹了一年，最后才以“亚驱”之名结束了骚动。三年后，申请者父亲因藏毒品而被逮捕，并和妻子离婚，孩子被送到儿童养护机构（孤儿院）接受照顾。扳指算算，那孩子已经成人了，不知那孩子现在过得如何？

我还听说有父母为了“希望孩子长成像妖精那般的女子”，而给亲生女儿取名为“精子”，发音是“seiko”。这例子不是更可怜吗？女孩子哩！

至于 JIS 汉字，则为日本计算机用汉字，一般分为第一水平、第二水平，计有 6355 个字；另有并非每台计算机都能打得出字体的统一码第三水平、第四水平、补助汉字，总计有 1.3 万字。也因此，“耶”字的网络排行位次才会居于书籍出现频度排行之上。毕竟“耶”字并非常用汉字，除非用在人名，否则一般书籍不会用这个字；但网络充斥着各种人名，而且用计算机打字很容易打出“耶”字，所以网络比较常见这个字。

教育汉字则为在小学 6 年期间必须学会的汉字，又称“学习汉字”，总计 1006 个字。

前面说过，只要认得 2602 个汉字，便能读得懂现代的《读卖新闻》两个月份的新闻报道。如此看来，即便在小学 6 年期间学会了 1006 个汉字，也不见得能读懂一份报纸？

为什么中国和日本的汉字，笔画的笔顺会不同呢？

目前，日本的学校教育规定的笔画笔顺，是根据 1958 年日本文部省出版的《笔画笔顺指导》一书。姑且不论之前如何，总之，自 1958 年以后，日本的汉字便仅有一种笔顺，笔顺基准应该毫无变化。

不过，在《笔画笔顺指导》中，有具体说明笔顺的汉字，只限当时的教育汉字 881 个字。现在的日本小学教育汉字已经增加到 1006 个字，因此，其中的 125 个字的笔顺便缺乏具体的基准了。

只是，由于《笔画笔顺指导》中有规定笔画笔顺的原则，学校的教师只要按照该原则教导学生，基本上不会产生太大的差异。

1975 年日本《读卖新闻》社会部编辑的《日语的现场》一书中，介绍了一则有关《笔画笔顺指导》出版之初的有趣小故事。

话说当时的日本文部省，为了制作《笔画笔顺指导》册子，设置了由 12 名专家组成的“笔画笔顺委员会”。当初，相关人员都认为只要两三个月即能完成任务，不料，委员会在第一回聚会时，便刮起了“狂风暴雨”。

事情发展到某权威书法家在大臣办公室前静坐示威，主张“如果不承认我的流派的笔顺，我将剖腹自杀”。结果，“笔画笔顺委员会”花费了两年才完成《笔画笔顺指导》。

书法家权威既然要出“剖腹自杀”这种威胁游戏，一方面表示依据当时的书法流派，各派的汉字笔画笔顺有很大的差异。另一方面也表示，现代日本人在学校学习的所谓“正确的笔画笔顺”，其实只不过是互相对立的书法流派权威通过彼此的妥协而规定出的规则而已。

至于中国台湾与大陆的汉字笔画笔顺成立情况，由于我手边没有相关资料，不太明白个中详情。

在统一笔顺的过程中，繁体字、简体字和日本汉字会出现不同的笔顺例子，想来也是理所当然。

反正，所谓笔画的“笔顺”，是为了让字体写得更美的一种辅导工具而已，并非绝对性的存在。能把字写得漂亮就行了。

同样一个汉字，为什么在日本和中国，其意义竟完全不同呢？

举个最显著的例子，“盐烤鲇”是日本夏季至秋季的风景诗之一，不过，这是仅对日本人而言。在中国人看来，会变成“盐烤鲶”。汉字的“鲇”，在日本表示“香鱼”，但在中国则为“鲶”。

像这样明明是同一个汉字，在日本和中国的意义却完全不同的例子相当多。

譬如“岚”，在日本是“暴风雨”之意，在中国则表示“山中的雾气”。“嘘”字，在日本是“谎言”，在中国则为“缓缓吐气”“叹气”“感叹”“鄙斥”。

为何会发生这样的现象呢?

原因之一是古代日本人误解了。古代日本人看到“岚”这个汉字，因为是从“山”上吹下来的“强风”，所以误解为“暴风雨”。“虚”字是“空虚”，旁边有个“口”，古代日本人便认为，既然是从嘴巴说出的“空虚话”，那肯定是“谎言”。

如此，古代日本和古代中国因为隔着海洋，又因为中间夹着百济人，无法紧密交流，也就失去了消除误解的机会。

可是，“鲇”这个字的情况又有点特殊。有专家说，从前，神功皇后[1]使用香鱼占卜了战斗胜败，于是组合“鱼”和“占”

---

① 神功皇后：じんぐうこうごう。Jingu-Ko-go-。日本历史上第十四代天皇仲哀天皇的皇后、第十五代天皇应神天皇的生母，原名不可考。

字，成为“鲇”。如果此说法是事实，表示香鱼的“鲇”字是日本人独自创出的国字。

凑巧古代中国也有意味鲶鱼的“鲇”这个字。结果，本来没有任何因缘的日本的“鲇”（香鱼）和中国的“鲇”（鲶鱼），字形就一样了。

也就是说，同样一个汉字，在日本和中国的意义却不同的原因，除了古代日本人的误解，另外就是偶然的一致。世界上有些发明也是这样：有人发明了一项东西，在同一时期，在地球的另一端，也有人发明了类似的东西。

假若再细查新加坡、越南、韩国等地的汉字，应该都有他们独自创出的汉字，也应该有明明是同一个汉字，意义却不同的字吧。

朝鲜语和日语的差异

先说明一点，目前，在日本称韩国和朝鲜使用的语言为“韩语”“朝鲜语”。只是，无论“韩语”或“朝鲜语”，都是过去朝鲜民族（朝鲜人）在朝鲜半岛使用了几千年以上的语言，称其为“韩语”似乎不恰当，因此在接下来的文章内，均用“朝鲜语”来形容。

朝鲜的汉字，通常一个汉字只有一个读音，而朝鲜人的名字都是汉语读音。如李承晚、金大中、金日成等。虽然现在都用朝鲜文字写这些名字，不过，原本应该都是汉字。在历史上曾与丰臣秀吉的军队打过仗的朝鲜历史名人“李舜臣”也是汉语读音。

若要往前追溯，百济和新罗时代的王族人名亦是汉字。在汉语传入朝鲜之前，这些人名应该有朝鲜固有的读音，只是，汉字传进朝鲜之后，就整个变了。日本现在也用“高桥”“铃木”“田中”“小林”等汉字为姓氏，但日本人名的读音皆为日本固有的“和音”，这点和朝鲜语有很大差异。

现在用朝鲜文字写成的地名，原本也都是汉字。例如“釜山”“庆州”“浦项”“平壤”等。“松岛”念成“sondo”，“水原”念成“suwon”，“平泽”念成“pyonteku”，发音均为汉语读音。如果是日本，便会全部改为“和音”。唯一的例外是“首尔”，只有“首尔”的发音是自古以来的朝鲜语。

不仅人名和地名。比起日语，朝鲜语的普通名词用汉语读音的字非常多。譬如“山”念成“san”，“河”念成“kan”（源自“江”音），“城”念成“son”，“东”念成“don”，“西”念成“so”，“南”念成“namu”，“北”念成“puku”。这些汉字在日语中单独使用时，几乎都是日本固有的“和音”，但朝鲜语竟然全是汉字读音。“湖”念成“hosu”（源自“湖水”），“毛皮”念成“mo-pi-”（完全是音译），“伞”念成“usan”（源自“雨伞”）。

换句话说，是汉语驱逐了这些词汇的古来朝鲜语读音。这可能因为朝鲜在发明了朝鲜文字的15世纪之前，始终没有类似日语的假名之表音文字，因此无法记录古来的朝鲜语吧。此外，一般人也不使用类似日语的“训读”，以致许多词汇都保留了汉语读音。

与朝鲜相比，日本虽然也引进了汉字，却没有淘汰掉“和音”，反倒在每个“和音”配上各自的汉字，也就是所谓的“训读”。正因为有“训读”，假名配汉字的文章字数就比全部都用假名写成的文章来得短，而且不用仔细一字一字去看，通常用“瞄”的即能抓住该篇文章的大意。“训读”算是日本人的成功发明之一。

只是，基于此缘故，日本的老百姓便必须学习明明是同样意义的“汉语音”及“和音”两种读音，有时甚至有更多读音。

譬如“山”“河”“日”“月”“手”“足”“父”“母”“黑”“白”“步”“走”“增”“减”等，都各有汉语读音与日本固有的“和音”。也就是说，日本的小朋友必须学习每一个汉字的“音读”与“训读”。全世界大概只有日本这么麻烦。

现代朝鲜语也没有类似日语的“训读”读法，朝鲜人只能用朝鲜文字记载古来的朝鲜语。

另一点很有趣，虽然现代朝鲜语几乎都用朝鲜文字写成，不过，若转换成过去的汉字，可以发现朝鲜语的汉字用法偏向日语。例如“会社”（公司），“検討”（讨论），“自動車”（汽车），“汽車”（火车），“階段”（台阶），“鉄鋼”（钢铁），“週間”（周），“月曜日、火曜日……”（星期一、星期二……），“水素”（氢），“酸素”（氧）等，这些朝鲜语都和日语一样。

当然各自的发音和日语不同，但汉字写法和日语完全一样。如此看来，这些词应该都是从日本传过去的。

其实深受日语影响的朝鲜语不仅前述这些汉字词，正如日语有许多音译自英文的“片假名外来语”那般，朝鲜语也有许多“朝鲜文字外来语”。只是，朝鲜的“外来语”也明显深受日语的影响，甚至连缩短方式或发音都一样。

日本和朝鲜均从中国引进了汉字、汉语，在汉语刚传入的古代，朝鲜确实比日本更强烈地受到汉语的影响。可是，近代的朝鲜语，似乎偏向日语这边。

如今，他们废掉了汉字，只用朝鲜文字书写文章，这等于全部都用平假名或片假名书写日文文章那般，不知会不会弄混？或者，类似日本某些三流作家，本来应该描写为“苍白的月亮”“碧绿的湖水”，却因日文的“苍”“碧”“青”发音一样，导致全部变成“青色月亮”“青色湖水”？

我记得有阵子，日本年轻人流行在手机发信息或在网络留言时，全部用平假名及片假名书写，结果闹出许多笑话。最显著的例子是以下这句：

きしゃのきしゃがきしゃできしゃした。

猜得出是什么意思吗？若让日本网民去填汉字，大概可以填出不少笑话。正确答案是：貴社の記者が汽車で帰社した。（贵公司的记者搭乘火车回公司了。）由于“貴社”“記者”“汽車”（火车）“帰社”的发音都一样，所以当时很流行这类文字游戏。

另一个非常著名的例子是数年前发生的中学生连续残杀幼儿案件。案件发生后约一年，某家杂志采访了该中学生曾经就读的学校的校长。记者不知提出什么问题，校长答说“那是假定的问题吧”。

结果，记者写出来的文章竟然是“那是家庭的问题吧”，害得该校长遭受了不少非议，必须特地出面向媒体解释。

由于日文的“假定”和“家庭”发音一样，在该记者的潜意识中可能将此案件归咎于家庭教育，因此听了校长的答话后，便把“假定”一词转换为“家庭”了吧。

总之，日本人在听对方的发言时，会无意识地在大脑中将某些词转换成汉字，甚少出错。这位记者算是特例。

听说，正因为全部都用朝鲜文字书写，会发生种种不便，最近朝鲜和韩国似乎都在重新审视汉字，主张恢复汉字的声音此起彼伏，民调方面亦有八成多的韩国家长赞成恢复汉字学习。

日本人用左脑“听”虫声，西方人用右脑“听”雨声？

东京医科齿科大学的角田忠信[①]教授，于 1987 年 1 月前往古巴哈瓦那，参加第一次国际学会举行的“中枢神经系统之病理生理学与其代价”讨论会。

当时来自东亚的参加者仅有角田教授一人。开幕式前一天夜晚，招待者举办了欢迎会，席上有众多来自东欧的科学家。有名古巴男子用西班牙语展开了热情的演说。

可是，教授完全听不清古巴男子到底在说什么，因为会场充满了聒噪的虫声。教授心想，不愧是热带国家，连虫声也如此热烈，于是试着询问了周围的人，这声音到底是什么虫在叫？不料，在场的人什么都听不见。对教授来说，虫声大得如

① 角田忠信：つのだ ただのぶ。Tsunoda Tadanobu。

“阵雨般的蝉声”，会场竟然只有教授一人听得见！

深夜两点左右，晚会总算结束，教授和一男一女两个年轻古巴人踏上归途，在静谧的夜路上，教授又听到比方才更激烈的虫声。教授好几次指向传出虫叫声的草丛，两个古巴人也驻足认真倾听，但他们好像什么都听不见。只是不可思议地互看着彼此，不断向教授说：“您大概太累了，回去好好休息吧。”

教授每天和这两个年轻人一同行动，到了第三天，那个男子总算察觉到虫声的存在。可是，他似乎对虫声不感兴趣。而那个女人竟然在一星期中始终没有注意到虫声。于是，教授开始起疑：难道日本人的耳朵构造和外国人不同？

之后，角田教授以听觉的差异为切入点，不断在生理学上探讨日本人的大脑与其他民族的大脑之相异点。结果引出一项惊人的发现。

人脑分为左脑和右脑，左右脑都有各自擅长的项目。右脑又称为音乐脑，专门处理音乐和机器声及噪音。左脑又称作语言脑，负责理解人说话时的声音，并处理逻辑性及智能性的物事。有关这点，日本人和西洋人都一样。

然而，继续研究下去，角田教授终于在“用哪边的大脑听虫声”这项实验项目中找到日本人和西洋人的大脑差异。

原来西洋人把“虫声”当作机器声和噪音，用右边的音乐脑处理，日本人却用左边的语言脑接受虫声。也就是说，日本人把虫声当作“虫的声音”“虫的语言”听进耳里。

对古巴人来说，充满会场的聒噪虫叫声与平日听惯了的噪音属同一音源，所以他们明明听到了虫声，却意识不到。如果我们长年住在铁路旁或机场附近，适应了噪音，那么即便有电车驶过或飞机飞过，可能也会当作耳边风。

可是，日本人却将虫声当作人说话的声音，用左边的语言脑处理，因此无法把虫声当作噪音充耳不闻。换句话说，当年在古巴的国际学会会场，用西班牙语热情演说的人的声音和激烈的虫叫声，在教授左脑相撞，导致教授听不清演说内容。

据说，全世界只有日本人和波利尼西亚人具有这种特征，中国人和韩国人均属于西洋型。更有趣的是，即便是日本人，若他在外国长大，以外语为母语的话，他会成为西洋型；而外国人若在日本出生，并以日语为母语而长大，则会成为日本型。

这并非物理性结构的大脑硬件问题，似乎和幼儿期先学哪一种语言当母语的问题有关，也就是软件问题。一般来说，人从左耳听进的声音会传到右脑，从右耳听进的声音会传到左脑，耳朵至脑神经系统的结构呈交叉状态。

进行实验时，只要在左耳和右耳同时播放不同的旋律，便能得到从左耳听进的旋律会听得比较清楚的结论。这也表示右脑擅长处理音乐。另一方面，在左耳和右耳同时播放不同的说话声，也能得出右耳比较能听得清楚的结论，亦即左脑擅长处理语言。

我们听电话时，习惯把听筒贴在右耳，正是基于此缘故。当然另有更复杂的测试方式，不过，据说这是最基本的实验方法。

利用此实验方法，通过各式各样的声音调查左脑和右脑的差异后，可以得出右脑擅长音乐、机器声、噪音，左脑擅长语言的结果。

有关这点，日本人和西洋人一样。不过，角田教授的实验竟得出一项惊人的结果：元音、哭声、笑声、叹息声、昆虫和动物叫声、波浪声、风声、雨声、小河的流水声、日本传统音乐的乐器声等，日本人是用左边的语言脑进行处理，而西洋人则将前述那些声音与乐器、噪音归为同类，用右边的音乐脑处理。

西洋人似乎把虫当作对人类无益的害虫，英文的“insect”和“bug”都倾向“恶”“坏”的形象。既然所有“虫”都是“害虫”，难怪虫声也会归为噪音。

但是，日本人自古以来就有倾听虫声的文化。

即便现代，只要查询日本网络，可以查出许多专门收录蟋蟀等昆虫类图像及其叫声的网站，书店更有无数昆虫饲育指南书，民间则有更多与虫声有关的童谣。也就是说，日本人自孩提时代起，便具有倾听虫声的文化传统。

学过日语的人应该都知道日语有许多拟声词，这可能和倾听虫声文化有关，亦和日本人用左脑处理虫声有关。

角田教授的实验结果，发现不仅虫声，其他动物的叫声、波浪声、风声、雨声、小河的流水声，日本人都用右边的语言脑在听。这点凑巧与日本古来认为山、河、海等，所有大自然之物都有神明附身，人类只不过是其中之一员的自然观符合。

另外，根据京都大学心理系教授，亦是儿童心理学者的园原太郎[①]先生的著述，日本的小朋友从幼儿园直至小学四五年级左右，大脑已经被输入“狗叫声是汪汪，猫叫声是喵喵”的固定观念。其他昆虫或鸟类亦有其固定的叫声形容词，例如金琵琶的叫声是“chinchirorin”，乌鸦叫声是“嘎嘎”。

---

① 园原太郎（1908—1982）：そのはら たろう。Sonohara Taro−。

日本的小朋友在刚学会说话时，父母就指着狗狗或猫咪教他说“那是汪汪”“那是喵喵”，牛是“哞哞”，猪是“咘咘”，小河是“sarasara”（哗啦哗啦），雨是“shitoshito”（淅淅沥沥），风是“byu-byu-”（呼呼）。

日本的父母不会教孩子“那是狗”“那是猫”“那是牛”。无论动物或大自然现象，都宛如它们是一种“声音”的存在，都从“声音”教起。只要随便拿一本日本漫画翻翻看，便能明白日本人多么会用拟声词。

假如一个人自刚学会说话的幼儿期起，便通过“声音”记住各种名词，那么，昆虫和动物的叫声以及大自然的所有声音便会成为语言的一部分，用语言脑来处理这些声音也是理所当然。但反过来说，或许正因为日本人从小便用语言脑处理这些声音，因此日语的拟声词才如此发达？

有关这点，角田教授似乎也得不出答案。

总之，就生理学来看，日本人的生理特征是用语言脑处理大自然的所有声音；而就语言学来看，日语的特征是拟声词极为发达。再加上日本人自古以来便认为大自然的一切都栖宿着神明的自然观，这三项融为一体，正是日本人的气质、秉性。角田教授的研究成果中，最引人注目的是，虽然日本型的特征是用语言脑接受大自然的所有声音，但该人的血脉不一定非得日本人或日裔不可，关键在于该人的母语是否为日语这点。

角田教授的研究数据中，有一份很显著的调查数据可以证明此学说。

调查对象是 10 名南美日裔。除去其中 1 名，这些日裔都以葡萄牙语和西班牙语为母语而长大，结果他们的大脑全是西洋型。

只有 1 名女性是日本型。该名女性的爸爸自女儿出生后，便在家庭内彻底实施日语教育，直至 10 岁为止，该名女性完全不懂葡萄牙语。

之后，她进了巴西的小学，也自巴西的大学毕业，但实验结果，这名女性至今仍是用语言脑去处理大自然的声音，属于 100% 的日本型。

反倒是朝鲜人、韩国人本来应该属西洋型，但在日本出生并以日语为母语而长大的在日朝鲜人，实验结果竟完全是日本型。

如此看来，西洋型或日本型的分歧点，并非人种的差异，而是在成长过程中以何种语言为母语的差异。

也因此，与其说“日本人的脑”，不如说“日语的脑”比较正确。根据角田教授迄今为止的调查，全世界只有波利尼西亚语的构造与日语一样。

话又说回来，知道了日语脑和西洋脑的差异，对我们有何意义呢？理论物理学家汤川秀树[①]博士在与角田教授的会谈中，发表了如下的见解：

> 总之，迄今为止，人们只是隐隐觉得日本人好像偏于情绪性。以前，大家都说，与重视逻辑理论的西欧人比起来，日本人似乎更接近情绪性。如今，角田先生的研究正证明了无论在（大脑）结构上、功能上，或者在文化上，日本人都和西欧人有明显的差异。
>
> 既然如此，我首先想到的是，可以有效地利用这种差异。这种差异没有必要去区分何者为上、何者为下，只要去利用便行了。正因为有差异，才能产生独创性。在日本，日本人不如西方人的观念根深蒂固，假若因实验结果而去分上、下，只会更加深日本人的自卑感而已。

① 汤川秀树（1907—1981）：ゆかわ ひでき。Yukawa Hideki。于 1949 年获诺贝尔物理学奖，是首位获得诺贝尔奖的日本人。

汤川博士因独创的介子理论而获得诺贝尔奖，“正因为有差异，才能产生独创性”这句话，从他口中说出，便显得格外有分量。

日语脑的差异应该可以为人类的多样性做出某种贡献吧。

换个角度来看，“聆听虫声的文化”也可以视为一种独创性的文化，或许能让人类全体的文化更丰富。

据说，日语的另一个特征是“被害者的被动文”。

例如，“早上被闹钟吵醒了”“被雨淋湿了”“包裹被寄走了”“门被关着”，甚至连父母过世也用“我被父母先死了”的文法。这类被动式文法似乎与往昔的某种语言类似。

将日文翻译成中文时，有时会觉得这些被动文很烦。不过，若站在日本人的立场来看，真的非得用被动文不可。

举例来说，日文的“她被他求婚了”，中文通常会翻译成“他向她求婚”。但如此一来，主词（主角）便转到“他”身上，而非日文原文中的“她”。何况“她被他求婚了”这句话，很可能还包括叙述这件事的“我”的心理。

再例如“衣服被洗得干干净净”这句话，翻译成中文时，用“衣服洗得干干净净”比较不啰唆。可是，日文的“衣服被洗得干干净净”这句话，其实还包含了“我不知道是谁洗的”之意。

那到底该怎么翻译呢？哎呀，我也说不清楚哪。

毕竟我到现在仍不明白自己的大脑到底是“日本脑”还是“西洋脑”呢。

从全世界的笑话中看日本人的国民性

日本中央公论新社于2006年出版的《世界的日本人笑话集》，上市当年便卖出将近100万册，直至今日，这本书在日本仍是长销书之一。

作者早坂隆[1]先生博学多识，不但是跑遍全世界的著名采访记者，也曾以体育小说获得文学奖。他在著书后记中强调："笔者相信，'笑'在人每天的生活中不仅'很重要'，更是'必要'的东西。"

书腰刊载了一则笑话：

有一艘豪华客船在航海途中发生意外。船长必须命令乘客快速离开船，跳海求生。于是，船长对各国的外国人

① 早坂隆：はやさか たかし。Hayasaka Takashi。

乘客如此说。

对美国人说："如果跳海，你就是英雄。"

对英国人说："如果跳海，你就是绅士。"

对德国人说："这艘船的规则是必须跳海。"

对意大利人说："跳海的话，你会得到女性的青睐。"

对法国人说："请别跳海。"

对日本人说："其他人都跳海了。"

书中，除了众多这类嘲弄日本人民族性的笑话，还有不少以日本人的勤勉性及高科技为例，嘲弄其他民族的笑话。早坂隆先生更以其丰富的海外体验详细解说每则笑话，加强这本书的说服力。由于内容新鲜有趣，才会爆红并成为长销书。

譬如下面这一则笑话。

日本和俄罗斯的技术人员商讨关于汽车的密封性。

日本的技术人员如此说。

"我国为了试验密封性，把猫咪放入汽车中一晚。第二天，如果猫咪窒息了，便判断其密封性合格。"

俄罗斯的技术人员如此说。

“我国为了试验密封性，也是把猫咪放入汽车中一晚。第二天，如果猫咪还在汽车中，便判断其密封性合格。”

这则笑话的嘲弄对象是俄罗斯人。因为日本人的优秀技术在世界各国中已成为大多数人都知道的常识，所以日本人在这则笑话中只是一种引子而已。

当然日本人绝对不会把猫咪放入车内去试验汽车的密封性，只是，一是“彻底到非窒息不可的程度”，另一是“猫咪没有逃出去就很好了”的国民性，确实会令人抿嘴偷笑。

作者在这则笑话后还说了一段小故事当作解说。

2001 年，作者去欧洲南部巴尔干半岛西部的国家波黑的首都萨拉热窝采访。由于波黑长期处于内战状态，街道满目疮痍，通过各国的援助，总算开始复兴。

市内到处都是来自各国的治安部队士兵，而当时日本在人力方面的贡献不多，完全看不到日本人。可是，日本的汽车竟比其他国家的人力贡献更突出地展现了日本的存在感。

一是联合国使用的汽车全部是丰田的四轮驱动车。“TOYOTA”的标志始终比联合国的“UN”显目。另一是在萨拉热窝市内奔驰的新型大型巴士。那是用日本的 ODA（发达国家为发展中国家提供的政府开发援助 / Official Development Assistance）购买的巴士，所有巴士的车身都有太阳旗和“JAPAN”字样。

大型巴士成为萨拉热窝市市民的重要交通工具。作者在采访期间，有名市民特地向他说：“你是日本人吗？很感谢你们那个巴士。真的帮了我们一个大忙。”

不仅汽车，日本的高科技似乎也已经为世界人民所公认。或许他们在日常生活中早已体验过日本车和日本制家电产品的优秀吧。

世界各国的人们，似乎把日本人能制造出质量优秀的汽车及家电产品的原动力，归功于“勤勉”的国民性。以下这则笑话正是个例子。

有一个日本人和一个法国人遭到逮捕，并都被判 20 年徒刑。看守对沮丧万分的两人说：“特别准许你们每隔 10 年可以实现一个愿望。无论什么愿望都好。那么，为了最初的 10 年，你们想要什么东西？”

日本人要求了 1000 本书籍。法国人要求了 1000 瓶葡萄酒。

10 年过去了，看守前来。看守再度询问两人，为了接下来的 10 年，此刻想要什么东西。

日本人又要求了 1000 本书籍。法国人要了开瓶器。

这则笑话的主人公是注重享乐又有点愚蠢的法国人，被描述为勤勉奋发的日本人只是配角，不过，此处的配角似乎太帅了点。

作者在罗马尼亚曾帮人家采收过葡萄。最初因难得有这种新鲜体验，倒也做得很愉快，不过，其他罗马尼亚人仍闷声不响地继续工作着时，作者竟然第一个感到厌烦了。

作者坐在田地一旁休息时，有人半开玩笑地说："奇怪，怎么会这样？我听说日本人是全世界最勤勉的，本来还期待你能帮很多忙，怎么身为日本人的你竟然第一个偷懒了？这样一来，不是让人家分不清究竟哪边才是日本人吗？"

除了汽车和家电产品，近年来，漫画和电视节目等日本的软文化产品也逐渐在全世界崭露头角。某一年，作者接受招待，住宿在波黑的首都萨拉热窝市内某家庭。那家庭总共有 4 个孩子，大的 10 岁，小的 2 岁。孩子的房间堆满了色彩鲜艳的"pocket monsters"（神奇宝贝）商品。

当妈妈的一面苦笑，一面向作者抱怨："我无论如何也要向你这个日本人发发牢骚。为了'pocket monsters'，孩子老是缠着要买商品，不让孩子看电视，他们就会大哭大闹，每天都很辛苦呢。"

只是，妈妈口里虽在抱怨，却明显可以看出她脸上挂着和平幸福的笑容。

在这个据说伤亡人数一万多的萨拉热窝市，在这个市民好不容易才获得安稳的平凡日子中，原来日本动画也占了重要的一席之地。

倘若对孩子来说，漫画是一种世界共通语言，那么，成人世界的共通语言应该是体育。

据说作者访问南斯拉夫联盟共和国（当时）的首都贝尔格莱德时，占居民大半的塞尔维亚人频频问作者："你是日本人吗？你是不是在nagoya（名古屋）出生的？"

看到作者点头后，众人均欣喜万分，接着大声呼喊："Nagoya，Stojkovic！Grampus！Number one！"

Dragan Stojkovic是塞尔维亚足球运动员德拉甘·斯托伊科维奇，他是南斯拉夫和塞尔维亚足球史上最优秀的球员之一。曾在日本职业足球联赛"名古屋鲸鱼"（Nagoya Grampus）大展身手，留下光荣的历史，是全球著名的球员，更是塞尔维亚人的英雄。后来成为日本职业足球联赛“名古屋鲸鱼”的主教练。

2001 年 10 月，斯托伊科维奇的退役比赛在丰田体育场演出。

那是一场非常漂亮的对战，一方是他在南斯拉夫时代曾担任队长的“贝尔格莱德红星”，另一方是他在日本时代从属的“名古屋鲸八”（“名古屋鲸鱼”的前身）。

当时作者在贝尔格莱德某家酒吧的电视机前观看了那场比赛。

身穿红色和橘红色“名古屋鲸八”制服的斯托伊科维奇，出现在酒吧的电视机屏幕，脸上堆着笑容，向客满的丰田运动场观览席挥手。

酒吧内挤满了贝尔格莱德市民，当他们发现了日本籍作者时，各个笑容满面地挨近，争先恐后地想和作者握手并拥抱。虽然作者听不懂塞尔维亚语，却一点也不碍事。他们热心地观看电视，其中甚至有人双眼噙着泪。

作者描述的这段经历，我也能理解。碰到这种情况，语言不通确实不是问题，重要的是彼此之间有位“中介人”，而这位“中介人”不但闻名于世，又与双方的国家因缘不浅，难怪挤在酒吧观看球赛的贝尔格莱德市民会找作者握手并拥抱。

这类笑话的原作者到底是谁，当然无从考察。不过，我阅读这类笑话集时，总会情不自禁暗自赞叹原作者的幽默感及一针见血的见地。

例如以下这则笑话，参与的国家比较多，描述的词却都会令人捧腹大笑。

各国人聚集5人的话，会发生什么情况？

美国人，会开始竞争。

英国人，会开始议论。

德国人，会以啤酒干杯。

东欧旧社会主义阵营的人，会买一瓶果汁，5人分喝。

印度人，会去电影院。

日本人，会开始传阅漫画。

波多黎各人，会开始在墙上涂鸦。

西班牙人，3人在睡觉，无法聚集5人。

最后再来一则讽刺美国人的笑话“某个美国孩子的幸福假日”。

盼望很久的星期日。学校今天也放假。

比平时晚起的我，首先打开 SONY 电视机开关。

为了看每周期待的日本动画片。

节目结束后，再读漫画。但是今天不能慢慢看。

因为我要和爸爸去买万圣节的服装。

登上爸爸自豪的 TOYOTA，一路驶往购物中心。

车上的收音机传出一朗[①]又击出安打，创下新纪录的新闻。

到底是第几次的新纪录？

爸爸帮我买了神奇宝贝的服装。我一定可以成为红人。

而且对圣诞节想要的任天堂新软件

也已经预先看了。

虽然我也很想要 PRINCESS TENKO[②]的模型。

午餐吃了好吃的寿司再回家。

我又继续读漫画。

爸爸开始洗 TOYOTA。

---

① 一朗：铃木一朗，すずき いちろう。Suzuki Ichiro−。

② PRINCESS TENKO：引田天功，ひきた てんこう。Hikita Tenko−。日本著名的魔术师。

好像要和妈妈一起去电影院

观看以前就很想看的《最后的武士》。

哥哥好像骑着 HONDA 的摩托车去了女朋友家。

大概在傍晚练习空手道之前都在约会吧。

我认为，美国真是个富裕的好国家。

我很庆幸自己生在美国。

我衷心爱美国。

并且为美国文化而骄傲。

日本人对母语的自卑感——日语放弃论

每逢全球化波浪涌起，日本某些专家必定会提出“继续用日语会跟不上时代”的议论。庆应义塾大学兼杏林大学名誉教授，亦是语言社会学专家的铃木孝夫[①]先生，称此现象为“日语放弃论”。

明治初期，日本第一代文部大臣森有礼[②]，也曾主张：“使用落后的日语，很难吸收先进的西洋文明，日语无法让我国进步发展，应该以英语为国语。”

所幸，日本政府没有真的废掉作为固有语言的日语，始终持续让国民学习日语，让日语稳坐在“日本的国语”之座。100多年后，日本的科学、技术、经济急速发展，飞跃至世界五大

---

① 铃木孝夫：すずき たかお。Suzuki Takao。

② 森有礼（1847—1889）：もり ありのり。Mori Arinori。明治六大教育家之一、日本现代教育之父。

国之一。

假若森有礼地下有知，不知会做何感想？

日本战败的翌年，昭和二十一年（1946年），文豪志贺直哉[①]也曾高声主张："发动愚蠢的战争并打败的原因，在于日语本身具有的不完全性、不方便性之上，以及学习汉字的效率太低，应该以法语为国语。"

可是，日本人依旧使用"效率太低""不完全性"的日语，并持续高度成长，于50年后让国家成为世界经济大国。假若志贺直哉地下有知，不知会作何感想？

目前的全球化可以说是第三次袭来的浪潮，果然有专家，甚至企业提出"日语放弃论"。看来，对日本人来说，"全球化"似乎与"放弃日语"同义，动不动就有人主张"必须废日语、学外文"，这似乎是大和民族的习性。

铃木教授以众多民族和国民为对象，着手调查了该国国民"对自己的母语怀有什么感情"的议题。结果得知，无论任何国家或民族，都对自己的母语寄予极大信赖和热爱，而且无论任何国家或民族，都有诗人或文学家歌颂母语的优美及其深度。

① 志贺直哉（1883—1971）：しが なおや。Shiga Naoya。

铃木教授在其著述《推广日本语教》中引用了一个例子，正是文豪屠格涅夫的散文诗《俄罗斯语言》。

在俄罗斯的混乱期，屠格涅夫对俄罗斯社会的惨状深感绝望，却又深信凭借母语俄语的根源力量，总有一天必定能救助俄罗斯。

在疑惑不安的日子里，

在痛苦地担心着祖国命运的日子里，

只有你是我唯一的依靠和支持！

啊，伟大的，有力的，真实的，自由的俄罗斯的语言啊！

要是没有你，那么谁能看见我们故乡目前的情形，而不悲痛绝望呢？

然而这样的语言不是产生在一个伟大的民族中间，这绝不能叫人相信。①

前面介绍了志贺直哉的“日语放弃论”：“发动愚蠢的战争

① 引用巴金翻译的版本。

并打败的原因，在于日语本身具有的不完全性、不方便性之上，以及学习汉字的效率太低，应该以法语为国语。”

而同样身为作家，屠格涅夫却在陷于绝望的深渊中，高歌出他对母语的信赖与热爱，相较之下，明显可以看出两者之深度差异。

铃木教授又提出另一个能与日本人对母语的自卑感形成鲜明对比的例子：犹太人。

第二次世界大战后，犹太人排除种种困难，好不容易才建立自己的国家。但最困难的问题应该是如何让已经灭亡了 2000 年的母语再度复活。

犹太人却办到了。这可以说是一种奇迹。而且他们用古代希伯来语为官方语言。古代希伯来语与全世界的所有文字不同，非常独特，犹太人却毫不考虑是否会跟世界脱节，是否会跟不上全球化步伐等问题而采用了此文字。这种态度，值得令人深思。

反观某些自称专家的日本人，明明有历史悠久的固有语言，明明有如此优雅的母语，竟为了更接近“国际标准”而主张全盘丢弃。

如果把语言视为单纯的沟通手段，那么，选择具有国际性、比较容易学习的语言当然也不错。主张“日语放弃论”的人正是以此为前提。

犹太人却完全无视什么国际性，什么学习容易不容易等问题。他们认为只有古代希伯来语才能体现出犹太人的精神核心。

以色列之所以能在政治、科学、技术方面，自如地运用英语，让自己的国家在国际社会发挥存在感，或许正因为他们对自己的母语以及文化感到很光荣，感到骄傲吧。

主张“日语放弃论”的日本人，大多对自己的母语怀有自卑感。而会对自己的母语怀有自卑感的人，通常对自己的母语一知半解。也就是所谓的“半瓶醋，响叮当”。

铃木教授通过语言社会学这门学问，著作等身。他耐心并逐步地向日本读者阐明，正是日语的特殊性形成了日本社会的风格。最显著亦是日本人最常用的例子是人称代词。

第一人称代词是“自己”，亦即现代汉语的“我”，英语的“I”，日语的“私”；第二人称代词是说话的对方，亦即现代汉语的“你”，英语的“you”，日文的“阿娜达”；第三人称代词则为第三者的“他、她”，英语为“he、she”，日语为“彼、彼女”。

但是，英语圈的小朋友可以对着自己的妈妈说“I love you,

mammy！”，这句话若要翻译成日文，就不能翻译成“妈妈，我爱你”了。因为日本人绝对不会这么说。如果要翻译成日文或让日本的小朋友来说，一定是“花子非常喜欢妈妈！”。

在此，“花子”指的是自己，也就是第一人称代词，相当于“I”；而“妈妈”是说话的对象，第二人称代词，相当于“you”。

同样道理，父母用英语对孩子说“You must come with me”，日语却不能说成“你跟我一起来”。要说，也会说成“太郎跟爸爸一起来”。

在此，“太郎”是第二人称代词的“you”，“爸爸”则为第一人称代词的“自己”。

简单说来，某人用英语对某人说话时，第一人称代词始终是“I”，第二人称代词也始终是“you”，没有其他称呼。可是，换成日语的话，通常会以“妈妈”代替“你”，或以“爸爸”代替“我”。

在日语世界中，几乎没有人会用“我”来称呼自己，也没有人会用“你”去称呼对方。因为“我”和“你”是一种对立关系，日本人会无意识地避开这种对立关系。

“花子非常喜欢妈妈！”或“太郎跟爸爸一起来”这种用法，正是在文法上使用第三人称以避开“我”和“你”的对立关系。

举个例子来说，倘若日本儿子和日本父亲吵架，儿子故意对父亲使用人称代词，大声喊出“我讨厌你”，那就意味着这对父子的亲属关系已经破裂到无法补救的程度了。

日语的“阿娜达”本来就是指“彼方”，目标是“地方”“所在”，而非人物，并和自己有距离。“sonata”（你）和“sonokata”（他）也都是指地方、所在。

即便最随意、最不尊敬的称呼“御前”（你，通常是丈夫对妻子或长辈对晚辈的称呼），也是指位于“自己的前面”的所在，再加个“御”字表示尊敬而已。这是一种不直接称呼对方，以指出对方所在的方法，间接地指出对方的语法。

英语也有这种用法，只是比较少用就是了。例如：称呼国王、陛下时，当面不会用“you”，而是用“Your Majesty”（你的尊严），背后则称“His Majesty”。上诉法院和高等法院法官叫“My Lord”或“My Lady”；地方法院法官叫“Sir”或“Madam”。

这是一种尊称，英国人特别讲究，美国人比较不在乎。但美国人称呼总统时也会用“Mr President”。现代汉语一般都以对方的职衔称呼。而这种语法在日语中可说随处可见，父母对孩子、兄弟姐妹之间、丈夫与妻子等等。

有趣的是,“御前”[①] 和“貴樣”[②] 在往昔明明是一种尊称，不知是不是过于频繁使用，导致敬意逐渐磨损，用在现代年轻人之间就变成称呼伙伴的昵称，与人吵架时则为蔑称。

话说回来，同样不使用人称代词，孩子可以对妈妈说“花子非常喜欢妈妈”，父母却不能当面对自己的女儿说“我也喜欢女儿”。为什么呢？因为日语的亲属称呼，有日语独特的规则。

首先，对长辈不能使用人称代词。父母、祖父母、叔父姑母、哥哥姐姐，都不能当面用“你”，通常用“爸爸”“爷爷、奶奶”“叔叔、姑姑”“哥哥、姐姐”等亲属用语。

此外，如果有多个哥哥，便加上各自的名字，叫成“太郎哥哥”“次郎哥哥”以区别。换成现代汉语就是“大哥”“二哥”，只是日语的亲属用语中没有“大”“二”“三”之类的用法，顶多叫成“大哥哥”“小哥哥”，再多，就只能加上名字。或许有人会说，这在现代汉语中也一样啊。

其实不一样。

用现代汉语的话，可以当面对着大哥说：“大哥，你要不要

① 御前：おまえ。omae。

② 貴樣：きさま。kisama。

陪我去看电影？”注意看，话里有人称代词的“你”。日语的话，就会说成：“太郎哥哥，太郎哥哥要不要陪我去看电影？”

前面的“太郎哥哥”是呼唤对方时用的，后面的“太郎哥哥”则是“你”的代词。反之，对晚辈可以用人称代词，但不能用亲属用语。

对自己的孩子、孙子、弟弟和妹妹，以及年龄比自己小的堂表兄妹，不能用“喂，孩子”或“孙子啊”等称呼。

例如，在餐厅，父母虽然可以对孩子使用人称代词，当面问孩子：“你要点什么？”不过，通常日本人会说：“太郎要点什么？”直接用名字会给人一种比较亲密的感觉。

简单来说，在亲属之间，对长辈不能使用人称代词，要用亲属用语；对晚辈虽然可以使用人称代词，但通常都直接叫名字。

之所以会避开人称代词，就像前面提过那般，是日本人在无意识中想尽量避开对立关系的心理在起作用。

父母在餐厅问孩子：“太郎要点什么？”此时的父母是直接称呼孩子的名字。但假如“太郎”旁边还有一个弟弟呢？这时，父母便会改口用亲属用语，说：“哥哥要点什么？”

父母称自己的孩子为“哥哥”的用法，外国人应该很难理解。有关这点，铃木教授用“亲属用语的原点移动”概念来说明日本人的这种表达方式。也就是说，将“亲属用语”的原点转移至家族内年龄最小的人，再以那个“原点”的视点去称呼对方。

父母和兄弟俩在餐厅用餐，年龄最小的人是弟弟，那么，所有称呼就都和那个“弟弟”统一，父母叫大儿子为“哥哥”，叫弟弟为“次郎”。

在家里也一样。假如家里有祖父母，“弟弟”叫祖父母为“爷爷、奶奶”，父母便跟随“弟弟”的叫法，叫自己的父母为“爷爷、奶奶”。铃木教授的概念非常易懂。

我以前也觉得这问题很难解释，不知该如何向外国人说明日本人对亲属的称呼用法。但读过铃木教授说明的“亲属用语的原点移动”概念后，便完全懂了。原来只要将视点放在家中年龄最小的孩子身上就行了。

膝下有孩子的夫妇，彼此叫成“爸爸”“妈妈”，正是将原点转移至孩子身上的典型例子。

日本人在职场的称呼则和现代汉语一样，都以对方的职衔称呼。

对陌生人呢？日本的小朋友称路过的中年妇女为“欧巴

桑”，称邻居的大妈也是“欧巴桑”，称同学的妈妈依旧是“欧巴桑”，称自己的真正亲属姑姑、婶婶、姨妈等，一律是“欧巴桑”。

仔细想想，彼此又不是亲属关系，怎么都用亲属用语呢？原来这是一种疑似亲属关系，将对方视为“疑似亲属”，称对方为“欧巴桑”是一种敬意兼亲密的表达方式。

反之，陌生中年妇女向小朋友搭话时，因为对方是晚辈，所以不能用亲属用语。这时，便可以应用“亲属用语的原点移动”，向小朋友说：“哥哥，丢落了手帕啦。”（这里也是避开了人称代词的“你”）

陌生中年妇女之所以叫陌生小朋友为“哥哥”，是设想小朋友的家里有个弟弟，以那个“弟弟”为原点称小朋友为“哥哥”。

外国人若想说一口很自然的日语，他必须先掌握这种“避开人称代词的对立关系”“懂得分别使用对长辈、晚辈的亲属用语”“对陌生人用疑似亲属用语”的语法。如此，才能理解并逐渐掌握日语社会中的人际关系。

反过来说，日本人若想在英语或汉语社会生活，他就必须先学会凡事都是“I”对“you”的语法，必须适应外国社会中的个人对立关系。

我觉得，让外国人来适应日本的社会生活，大概比日本人去适应外国人的生活要难上好几倍。至少，外国人的“I”对“you”语法不用考虑长辈、晚辈的关系，也不必介意什么疑似亲属关系等问题，所以外国人才会那么轻松愉快地和陌生人打招呼吧。

此外，“日本人很团结”这种形象，似乎已经成为一种世界性的共识。而说实在的，日本人真的非常团结。

我个人认为，这可能也和日语的特殊语法有关。

日本汉学大师白川静的“东洋精神论”

明治四十三年（1910年）出生的白川静先生，于2006年过世，享寿96岁。昭和五十一年（1976年），白川静66岁时，从立命馆大学文学系教授职位退休，直至73岁那年，才完全摆脱学校的繁杂业务。

为了贡献日本社会，动手书写他迄今为止的汉字研究学问集大成作品，除了说明汉字起源的《字统》，另有关于日本汉字训读的《字训》，以及汉和词典最高峰的《字通》，总计3部。他共用了4万张200字规格的稿纸，费时13年半，独力完成这项伟业。

白川静获得“每日出版文化赏特别赏”，还获得“勋二等瑞宝章”“文化勋章”等，可谓现代日本的一代汉学大师。其在著书中回述：

我们年轻时，“东洋”这个词，对我们来说，极富魅力。因为这个词与西洋成对比。在这之前，幕府末期的佐久间象山[①]那派人也提出“东洋的道德，西洋的艺术（技术）”。明治时代以后，另有冈仓天心[②]的《东洋的理想》《茶书》等。之后又有久松真一[③]的《东洋式的无》。所以，“东洋”这个词，对我们来说，是有形的实质之物。

战败时，因为日本败得很惨，想要恢复原来的良好关系，光是和善看待对方是不够的。日本这方在文化方面若没有牢固的成就，便无法与对方平起平坐，甚至要有让对方萌生敬意的业绩，否则日本无立足之地。其实我也有这样的心情。

这段话可以证明白川静确实具有明治青年的气概，也说出了先生长年来专心致志于汉字研究的理由。

---

① 佐久间象山（1811—1864）：さくましょうざん。Sakuma Sho-zan。日本江户时代至幕末时代的思想家、兵法家。

② 冈仓天心（1863—1913）：おかくらてんしん。Okakura Tenshin。日本明治时代的美术家、美术评论家、美术教育家、思想家。

③ 久松真一（1889—1980）：ひさまつしんいち。Hisamatsu Shinichi。哲学家、佛教学者。

幕府末期，西洋势力手持科学技术文明与武力涌进日本时，日本的知识分子为了维持日本固有的政治性及文化性的独立，提出“东洋道德，西洋艺术”的概念学说。

但对当时仍是个青年的白川先生来说，“东洋”并非只是单纯的概念，而是具有历史性的实质之物，因此先生打算以身作则来证实自己的看法。白川静又说：

> 在东亚圈最具特色的事，便是共享汉字，大家一面共享汉字文化，又一面各自发展各民族的独特文化，这是不争的事实。这里面应该有共同的价值观。这个价值观正是诞生东洋精神的母胎。
>
> 往昔的东洋，生存在一个理念中。所谓“东洋式”，是以德服为上，力服为下；相对于外，更重视内；视大自然非外在物质，而是与人类同等次元的生命体。这正是所谓的“东洋精神”。（东亚圈人）思考方向与其他文化圈迥然不同。通过共享汉字这事，可以得到确证。汉字是东亚文化圈最重要的纽带。

白川先生举出他最喜欢的词“保真”（保全纯真的本性、天性；保持原样，使不失真）作为说明“东洋精神”的例子。

繁体“保眞”的“眞”字本来是“路倒”之意。上面的“匕”字，是仰躺在地面的人形，下面意味瞪大眼睛、头发凌乱的样子。在人类的各种死亡方式中，具有最可怕神奇力量的死法，正是这个死在路旁的“路倒”。因此人们不能随意处理路倒尸体。日本的《万叶集》中就收录了几首柿本人麻吕[①]为路倒尸体吊唁的和歌。

为何“路倒”会成为永恒之物？成为真实之物？因为路倒的咒力很强，甚至可以影响到几代以后。因此是永恒的力量，永恒的存在，于是便成为“眞”这个字。

换句话说，所谓“保眞”，意指大自然的力量。所谓“眞”，意谓大自然的生命力贯穿永恒。虽然在人间以“路倒”形式出现，不过，其实那只是所有永恒生命的形态之一。这种力量与大自然悠久地共存着，所以古人创出“眞”这个字。

白川先生的意思是，人类与大自然的生命力共存、共死。白川先生正是在这个字中发现日本和中国都具有“东洋精神”

---

① 柿本人麻吕（约 660—720）：かきのもとのひとまろ。Kakinomoto no Hitomaro。日本飞鸟时代的人，与奈良时代歌人山部赤人（やまべ の あかひと，Yamabe no Akahito）并称“歌圣”，两人皆为日本三十六歌仙之一。

之一面，打算恢复此精神，才立志研究汉字。

韩国中止了汉字教育，文章均以朝鲜文字记载。我们托电视剧的福，虽然可以听出韩国人寒暄道好的“An-nyon”，应该是“你好”的意思，但如果韩国人写成汉字的“安宁”，日本人或中国人不是都可以从汉字的字面体会出其语感吗？

越南，在法国殖民地时代改为罗马文字记载，但如果越南人用汉字的“博士”来表示越南语的医生“poshi”，日本人或中国人不是能马上理解吗？

不要说韩国或越南，就连汉字母体的中国，也以读音为主，将汉字大刀阔斧地改造为简体字。例如“达”这个字，在“走之旁”另写个“大”字，只因“达”和“大”在现代汉语中发音一样。但这样一来，日本人和朝鲜人便都无法从字面去猜测其意了。

本来，繁体“達”字含有“羊”字，由于羊能够迅速滑溜地生产小羊，于是含有“迅速穿过，毫无任何障碍，势头很强地抵达”之意。

例如日文的“達笔”①，意思是能写一手流利优美的文字，“達

① 達笔：たっぴつ。tappitsu。

人”[①]则指能流利处理普通人无法处理的难事之高手，这些词都具有“流利”“顺畅”的语感。但变成“大”字后，不但语感消失了，从字面也读不出其隐含的字义。

如此，各国废止了汉字，或者随意改造汉字，使得原本是“东洋共通基础”的汉字文化变得七零八落，年轻一代的甚至已经读不懂用汉字写成的古典书籍。

白川先生正是担忧此现象继续扩大，一心一意想让“东洋精神”复活，在汉字研究这个孤高领域，始终以坚稳步伐进行他的一人行文字游。

中国的考古专家陈梦家先生，对公元前 11 世纪以后的西周时代文字金文有杰出的研究。继陈梦家先生之后的在日本可能唯有白川静一人，据说今后在金文研究这方面，大概再也无人能超越白川先生著作的 4000 页研究书了。

中国台湾虽然出版了 14 卷 3800 页有关金文的研究丛书，不过，白川静的论文占了其中一半。

白川先生在国际会议发表论文时，特别能引起年轻研究员的共鸣。也有澳大利亚和新西兰的研究人员为了引用白川静的

① 達人：たつじん。tatsujin。

论说写论文，特地向他征求同意的例子。身为汉字研究领域的领导者，他在年轻时代怀着“要有让对方萌生敬意的业绩”抱负，想必已经达成了。

提到汉字，日本人或中国人大多认为“说到底还不是从古代中国借来的东西”，不过，日本人不像朝鲜人那般，原封不动地使用借来的汉字。

因为汉字是表意文字，何况3000多年来，中国人也是按时代的潮流，以不同的发音去读不变的文字。因此同样是“博士”这个词，越南人要读成“poshi”，日本人要读成“hakushi”，其实都随各国家的意，只要该国国民方便好用就行了。

正因为汉字有此特征，日本人便活用此特征，在固有的大和发音配上汉字，亦即“训读”，这是日本人的独创用法。

那以后，日本人便将通过训读法所得到的知识，巧妙地运用在和汉混淆文章中的语汇及语法上。如此，不但吸收了汉字的优点，也发挥了日本固有的大和发音的优点，二者交织成一匹既不失优雅，又具有深度的日文布帛。自如地运用汉字的造词法成为一种传统，一直持续到江户时代末期。

明治时代，欧洲的新学问进来之后，日本人更是自由自在地进行了汉字造词。可以说正是从明治时代以后，日本人便已经完全将汉字日本化。也是自明治时代以后，日本人开始运用音读和训读创造新语言。

接着是大正时代，经由梁启超等中国学者的文章，再将这些新词重新返销至中国。

只要翻阅中国的外来语词典，便能发现被标明为“日本语”的词非常多。

西洋文明也是从希腊开始，之后由罗马继承，然后在法国和英国得到发展。就像传递圣火的跑者，不断地交替传递者，不断地运送圣火那般。

白川静认为，日本人继承了汉字文化之后，又让汉字文化发展至今日的程度，已经做得非常好了。佛教传入日本后，也变成既稳定又具有个性的宗教。

我想，白川静老师之所以不懈地埋头于汉字文化学问，应该也是为了更接近“完成式”的位置吧。

丢弃汉字的韩国人已经不会写“大韩民国”这四个字

日籍韩裔评论家吴善花女士在杂志上写了一篇很有趣的文章。内容是针对素有“世界第一学历社会”之称的韩国，内部与外在的形象完全相反，“知性的崩溃”现象非常严重。

平常多看韩国电视节目或网络新闻的人，大致都知道韩国是个应试战争非常激烈的国家。激烈到考生怕迟到，竟然可以把救护车当作出租车的程度，而且韩国的社会风气也容许这种行为。

大学入学考试当天，为了考生能集中精神应考，会场附近的飞机均不准起飞也不准降落，甚至连马路都禁止通行。由此可知，韩国社会对学历的偏见根深蒂固，在韩国大学升学率处于顶峰时的 2008 年，高达 83.3%。在经合组织（OECD）加盟国中属最高水平。

教育热低龄化，大多数家庭在孩子年幼时即花巨款在私塾。1997 年，小学的英语教育成为必修课程，初等教育水平的学习成绩在国际上也很高，根据国际教育到达度评价学会，以小学四年级为对象的调查中，在 50 个国家中，韩国小学生的算术水平居第二名，理科居第一名。只是，随着当事人的成长，水平也会跟着下降。

英国的教育专业杂志《泰晤士高等教育》发表的“2013 年世界大学排名”，东京大学排在第 23 名，韩国首尔大学是第 44 名。2012 年则为东京大学排在第 27 名，首尔大学排在第 59 名。

再往前看的话，首尔大学的排名更差，分别为第 124 名、第 109 名；而东京大学始终固定在 30 名左右，2011 年是第 30 名，2010 年是第 26 名。

至于诺贝尔奖得主，除了金大中前总统获得过和平奖外，没有任何一人获奖。韩国人似乎认为只要学历到手即可，深度的学习对人生没有意义。吴善花女士说，在韩国的书店只能看到挑选参考书的学生，几乎看不到社会人士的影子。

事实上，韩国人确实被揶揄为全球读书量最少的国民。根据韩国统计厅的调查，四成以上的韩国人，一年中不阅读任何一本书，平均读书量则是 5.3 本。

日本和韩国的调查方法也许不同，不过近年来被指摘“脱离阅读”的日本人，一年间平均也读了 19 本。

吴善花女士说她第一次访问日本时，看到众多日本人愿意花时间去阅读与工作领域毫无关系的书，一般人也把历史书和文化书当作基本教养素材而热心购买、阅读，这事令她很吃惊。

她认为，造成韩国此现象的最大原因正是“废止汉字”政策。韩国的学校于 1970 年春季废止了教学生学习汉字。那以后的世代都是“朝鲜文字专用世代”，在 50 年后的今日，约八成的韩国国民只看得懂朝鲜文字。

韩国的计算机键盘的空格键一旁，到现在仍有汉字转换键，不过，年轻一代几乎不用汉字转换键。

朝鲜语的词汇中，源自汉字的“汉字语”约占七成。如今这些“汉字语”都被表音文字的朝鲜文字代替，就像写日文时全部用平假名书写，理所当然会发生许多无法判断其真正意思的同音异义语例子。

若是表意文字的汉字，即便出现不懂的复合词或惯用语，也大致抓得住意思，但表音文字的朝鲜文字就完全没辙了。

虽然也能把比较难懂的词转换为简单的表达方式，例如

“费尽心思”，可以比喻为“为了解决问题而努力”，但如此一来，写文章或会话都会变得很幼稚，一些无法改变说法的抽象概念就更难理解了。

书籍中若出现许多汉字，“朝鲜文字专用世代”会将之看成是外星文的堆砌，全部略过不读。再将剩余的前后文连贯起来，然后自己觉得已经理解了书中的内容。于是便会逐渐失去阅读的兴致，读书量就会锐减。

更可怕的是文化断绝。由于读不懂古典和史料，连大学的研究人员都读不懂指导教授于 20 世纪 60 年代写成的论文，问题相当严重。

虽然韩国社会有时会针对汉字的复活问题而议论纷纷，但据说主张“保护全球最出色的文字”的朝鲜文字至上主义者会出面反对，因此现状是已经没有能教导汉字的教育人才了。

不要说自己国家前总统的名字“朴槿惠”，根据过去的调查，有 25% 的大学生就连“大韩民国”几个汉字也不会写了。

吴善花女士最后总结说：“每逢日本人获得诺贝尔奖时，韩国人便会大骂‘日本是用钱买了诺贝尔奖’，既然有那样的空暇大骂日本，何不认真地考虑一下丢弃汉字到底会带来什么后果？”

日本作家丰田有恒[①]先生在其著作《韩国不能复活汉字的理由》中如此陈述：

> 韩国的汉字复合词，并非起源于中国，而是在日本统治时代随着日语被带进。明治时代以来，日本热情地致力于吸收欧美文化，研究出的“科学”“新闻”等译词，不仅在韩国，连汉字本家的中国也采用了，这事广为人知。

例如，日本人引进欧美的铁路时，研究出许多和铁路有关的用词，而日本人在朝鲜铺铁路时，当然也会用这些词。也因此，朝鲜的铁路用词和日本相同是必然的。许多用词都从日本进口，再用朝鲜语的汉字读法配音，所以韩国有很多用词的发音和日语相似。

丰田有恒先生指出，目前韩国使用的汉字用词，有八成以上是日本制。尤其在政治、科学技术、企业经营、体育等领域，都在日本统治时代以日新月异的速度趋向近代化，这些领域的专业术语大部分起源自日语。韩国人借用这些近代化的用词学

---

① 丰田有恒：とよた ありつね。Toyota Alitsune。

习了近代科学技术，也学习了近代式企业经营。

从科学技术、企业经营，到法律、政治等，所有和近代化有关的用词几乎都是日制汉语。在这种情况下废止汉字，再以朝鲜文字记载，到底会变成怎样呢？

由于朝鲜语有很多汉字的发音都一样，比日语还多，结果会变成全部都是同音异义字。比如，朝鲜语的“长”“葬”“场”这三个汉字的发音相同，于是，“会长”“会葬”“会场”的发音也就全部一样。结果，“会长到会场参加会葬”这句话，除了“到”和“参加”发音不同，其他三个复合词的发音就都一样了。

若是口语，应该还听得懂，但用于书面，便无法正确传达事物。倘若一本小说中有数不清的同音异义字，谁还有耐性读下去？

就像我前述举的例子“贵公司的记者搭乘火车回公司了”那般，“貴社”和“記者”“汽車”“帰社”的发音都一样。这样叫人如何从文章的前后文去判断意思呢？

不过，这样的书竟然也能一年阅读五本，不能不说很厉害。而将现代朝鲜语的书籍翻译成汉语或其他国家文字的译者，应该更厉害。

二战后不久的 1948 年，李承晚总统全面实施反日教育，并发布“朝鲜文字专用法”，限制使用汉字。

“朝鲜文字专用法”规定，“大韩民国的公文必须用朝鲜文字书写。但是，在短期内，必要时仍可以使用汉字”。

日本统治时代，日本政府在韩国推广汉字、朝鲜文字混合的文字教育，因此汉字被误解为“日本帝国主义的残渣”，成为抵制对象。朝鲜文字则被捧为民族的象征符号。

丰田有恒先生在《韩国不能复活汉字的理由》一书中说明，稍微花点心思去查阅历史，便可得知朝鲜在日本统治时代之前，本来将朝鲜文字蔑视为缺乏教养的女子及儿童使用的“雌文字”“儿童文字”，而让这些文字提高地位并普及于民间的正是日本统治时代的教育方针。若真要驱逐“日帝的残渣”，首先应该放弃朝鲜文字才对，而不是只拿汉字出气。只是，假如真放弃了朝鲜文字和汉字，朝鲜民族会成为没有文字的民族。

到了朴正熙总统时代，更变本加厉地抵制汉字。朴正熙不顾国民的反对，签订了《韩日基本条约》，但他为了避开“亲日”形象，于1970年废止学校所有课程的汉字教育，当作一种反日态度。

然而，此举似乎只是装个样子给国民看罢了，因为他让自己的股肱之臣总参谋长李在田当会长，成立了“韩国汉字教育推进总联合"，首先在军队内让汉字教育复活。并以接受学界、言论界的抗议之形式，让中等教育恢复了汉字教育。

不料，之后又遭遇朝鲜文字至上派的反击，于是一下子实施汉字教育，一下子又废除汉字教育，朝令夕改，导致国民有些世代接受了汉字教育，有些世代又没有接受汉字教育，形成世代间的文字代沟。

本来当作"反日"政策之一的汉字肃清活动，竟然愈做愈起劲，到了最后，变成所有起源自日语的汉字复合词全被列入罪恶名单内。韩国的"国语审议会"的"国语纯化文化委员会"，制作了"日语风格生活用词纯化集"，试图将 700 个"近似日语"的词"纯化"为朝鲜语。

例如将月台的"检票口"改为"给看车票的地方"，将火车"道口"改为"越过去的地方"等。用文章来说明，就是将一句"出了检票口再通过道口"，改为"出了给看车票的地方，再通过越过去的地方"。（以上的文章说明都以中文为例子。）

只是，即便把"反日"当作信条的韩国人，大概也无法每天重复说这种磨磨唧唧的话。因此，"纯化"以失败告终。

丰田先生在书中说："正是汉字、假名混杂文，提高了日本人的教养和国民的生活文化水平。"

譬如英语单词“cetorogy”，据说除非专业学者，否则美国和英国的一般人，普遍看不懂这个单词。但在日本，只要读过初中，看到“鲸类学”这个词，大致都可以联想到“和鲸鱼有关的学问”。

又譬如“apiculture”这个单词，一般美国人或英国人可能完全看不懂，若用日语说“养蜂业”，对方便能理解为“养蜂的工作”。

日本幕府末期之后的先人，正是用如此努力并充分地活用汉字的造词能力，以一般大众也很容易理解的形式，构筑了近代学问的体系。

中国和朝鲜均曾经通过日语学习近代学问。例如在“中华人民共和国宪法”这个短语中，汉语独创的词只有“中华”这个词，其他的“人民”“共和国”“宪法”全源自日语。

朝鲜其实是在日本统治时代普及了汉字、朝鲜文字混杂文，国民好不容易才迈出趋于近代化的第一步，却因政治思想的激情，将之视为“日帝的残渣”，主动拒绝近代化。

称呼用语篇

爱人

如果你问日本人："你爱人好吗？"对方绝对会皱起眉头，内心暗骂："你管我爱人好不好？我爱人关你什么事？"

同样是"爱人"[①]，在中国大陆地区指的是正式结婚的配偶，亦即丈夫或妻子；在中国台湾地区或其他华人地区则与"恋人""情侣""伴侣"同义。韩国也有"爱人"这个词，意义与汉语一样。

但在日文世界中，"爱人"专指"非婚姻关系"并"长期有肉体关系"的情妇或情夫，也就是汉语的"小三""二奶"或介入他人婚姻的"第三者"。

若以手势表示，只要竖起小指，对方便能明白意思。

---

① 爱人：あいじん。aijin。

あの二人[①]は愛人関係[②]だ。（他们两人是情夫情妇的关系。）

あの女[③]は彼[④]の愛人だ。（那个女人是他的情妇。）

假若是男方的“爱人”，往昔另有“二号”[⑤]（二号夫人）或“妾”[⑥]（小老婆、姨太太）的别称。

日本幕府末期便已将英文的“honey”“lovers”“sweet-heart”等词翻译成“爱人”，二战后再逐渐以“爱人”替代了以往的“情妇”“情夫”等称呼。总之，无论用“爱人”或“二号”，均有藐视之意。

国税局之类的政府机关，由于不能使用蔑称的“爱人”称呼，都将“小三”“二奶”称为“特殊关系人”。

据说，经验老练的酒吧老板娘能一眼便看出酒客带来的女子到底是正房或爱人。通常看两人之间的谈话态度和举止，但

---

① 二人：ふたり。hutari。
② 関係：かんけい。kankei。
③ 女：おんな。onna。
④ 彼：かれ。kare。
⑤ 二号：にごう。nigou。
⑥ 妾：めかけ。mekake。

似乎也能从长相看出。

若要粗略分类，秀丽派是正房，艳丽派是爱人。如果拿日本女演员做比较，石原里美[①]、深田恭子[②]、田中美奈实[③]、矢口真里[④]等人是正房脸；苍井优[⑤]、富永爱[⑥]、板野友美[⑦]、黑木美沙[⑧]等人是爱人脸。不知正确与否？可我左看右看，总觉得苍井优是正房秀丽派。

说实话，往昔的我，相当向往“爱人”这种身份。为什么呢？因为“爱人”至少要比家里的黄脸婆年轻，这表示你若缺乏年轻的“本钱”，你根本当不上人家的“爱人”。

况且在 20 多年前，“爱人”给人的刻板印象是不用出门工作赚钱，没钱时，向男方撒撒娇就行了。毕竟有能力养二奶或小三的男人，通常是有钱的冤大头。

只是，时代变了，不知何时，“爱人”的本质也随之而变。

---

① 石原里美：いしはら さとみ。Ishihara Satomi。
② 深田恭子：ふかだ きょうこ。Fukada Kyo-ko。
③ 田中美奈实：たなか みなみ。Tanaka Minami。
④ 矢口真里：やぐち まり。Yaguchi Mari。
⑤ 苍井优：あおい ゆう。Aoi Yu-。
⑥ 富永爱：とみなが あい。Tominaga Ai。
⑦ 板野友美：いたの ともみ。Itano Tomomi。
⑧ 黑木美沙：くろき めいさ。Kuroki Meisa。

新世纪的“爱人”不再是邓丽君唱的那首日文歌曲《爱人》歌词中所形容的形象了。

因为我喜欢你，这样就好了。就算我们没法一起走在街上，只要你每次都会回到这个房间，我愿意当一个等待的女人。

现代的“爱人”不会再关在房内傻瓜般地痴痴等待男人来按铃了。她们或许比男人更能干，也或许有某种程度的社会地位，说不定打开钱包撒银子的人正是女方。

她们只是不想主动钻进婚姻笼子内吃苦，更或许有一颗很会体贴男人处境的女人心，要不然就是能烧得一手比黄脸婆烧得更可口的饭菜。总之，对男人来说，她们肯定具有正妻所缺乏的魅力，否则男人干吗没事冒着可能赔了夫人又折兵的危险，特地去采野花呢？

而正妻也不再是规规矩矩的朴素乖女人了，搞不好是个刷卡狂，更搞不好是个三天不换内衣也无所谓的懒女人，再搞不好就是个开口便破骂的泼妇。

我的同性朋友中，有不少人是“爱人”身份，只因为我是婚姻过来人，我从未假惺惺地劝她们要“回头是岸”。无论浪子或“爱人”，只要回头，真的便有“岸”可登吗？

我很怀疑。

最近，日本各周刊杂志和八卦杂志争先恐后地报道“爱人价格通货紧缩化”内情，夜晚的风月区似乎也传出同样消息。

前些日子，日本《SPA！》周刊杂志实行了日本全国“爱人市场”调查。他们请网络调查公司进行调查，以 20 岁至 60 岁的男女 5000 人为对象，再从问卷中挑出回答“有爱人”的男性，以及回答“正在履行爱人契约”的女性，总计 240 人，再做后续调查。

调查结果显示，日本全国平均的“爱人行情”是 6 万日元，但此数字也是靠一部分的高额契约者而提高了平均数字，最普遍的是 3 万至 5 万日元。

“爱人价格通货紧缩化”的传言，似乎是事实。于是《SPA！》周刊杂志再对这些人做进一步的采访。

据说，现在即便年均收入低于一般人，也能包爱人。例如在食品相关公司工作的 42 岁的某男士，一年的收入是 450 万日元左右。他在一年之间就轮流换了 3 名爱人。包含用餐费，一个月仅需 3 万日元。

该男士说：“要点是瞄准住在父母家的女人。单身生活的女人，风险非常高。以前，我曾包了一个女人，每个月帮她付房租，后来她为了看护年老父母，必须回乡下，结果搬家费和交通费等全由我负担。如果拒绝，她说要通报我老婆，实在没办法……住在父母家的女人，生活没什么困苦，一个月给 3 万日元左右，便会很高兴了。”

另一个目标是瞄准在恶劣劳动环境工作的女人，例如在大众居酒屋连锁店工作的女人。据说一个月给 2 万日元，她们就会很高兴。这种女人似乎不贪恋金钱，否则不会老待在劳动环境恶劣的同一职场。光看这个例子，我总觉得好像是社会底层人在剥削比自己更低阶的人。

看来，爱人这行业已经不比往昔了。不知有没有人愿意拍一部《爱人真辛苦》的电视剧？

妻子

日本男子和华人男子用笔交谈时，华人男子写道："我妻子在某某公司工作。"日本男子看到这句，肯定会丈二金刚摸不着头脑。

假设彼此都是35岁，已婚，那么，即便膝下有孩子，孩子恐怕才在学龄期，怎么可能"妻子"都在同一家公司工作呢？

原来汉语的"妻子"指的是太太、老婆，而日文的"妻子"[①]则包括老婆和孩子。

妻子に逃[②]げられた。（我家妻子逃走了。）

这句话用汉语理解，表示仅有老婆离家出走，孩子还在家。

---

① 妻子：さいし。sai shi。

② 逃：に。ni。

但用日语表达，则意味着老婆带着孩子一起逃跑了，家里只剩丈夫孤单一人吃冷饭。

妻子を養う[①]。(养全家大小。)

妻子を抱[②]えて路頭[③]に迷[④]う。(全家大小流落街头，生活无着落。)

“妻子持ち”[⑤]即有家室的男人。

倘若女生不小心爱上有“妻子”的男人，恐怕会踏上不归路。毕竟人家是“多口”，你只有“一口”，你有自信打赢这场仗吗?

不过，日本的“妻子”用法其实和古代汉语的用法相同。

杜甫的《兵车行》开头前两句：“车辚辚，马萧萧，行人弓箭各在腰。爷娘妻子走相送，尘埃不见咸阳桥。”

这首诗文中描述的“妻子”便包括老婆和儿女了。但是，诗文中的“子”字，发音应该是很明确的三声，而现代汉语“妻

① 養う：やしなう。yashinau。

② 抱える：かかえる。kakaeru。

③ 路頭：ろとう。rotou。

④ 迷う：まよう。mayou。

⑤ 持つ：もつ。motsu。

子”的“子”，发音则是轻声。

日文的“老婆”是仅有“妻”[①]一个字。

这个“妻”，学问可大了，不但有“新妻”[②]（新婚妻子）、“人妻”[③]（有夫之妇），还有男士们最喜欢的“若妻”[④]（年轻妻子）以及“团地妻”[⑤]（住在与邻居不相往来的公营公寓高楼的有闲妻子，多用在色情影片或有色小说中）。

另一个似是而非的词是“爱妻”[⑥]。

汉语世界中的“爱妻”，重点在“爱妻子的丈夫”，丈夫很爱老婆，心爱的妻子之意。

但日文世界中的“爱妻”则只是一种表面话，无论丈夫爱不爱妻子，妻子做的便当都是“爱妻便当”[⑦]。即便这个“爱妻”的地位可能比丈夫宠爱的“爱犬”[⑧]或“爱弟子”[⑨]（得意门生）

---

① 妻：つま。tsuma。
② 新妻：にいづま。niiduma。
③ 人妻：ひとづま。hitoduma。
④ 若妻：わかづま。wakaduma。
⑤ 团地妻：だんちづま。danchiduma。
⑥ 爱妻：あいさい。aisai。
⑦ 便当：べんとう。bentou。
⑧ 爱犬：あいけん。aiken。
⑨ 爱弟子：まなでし。manadeshi。

还低，只要冠上“爱妻”这个词，便不会惹来后患。

真正很爱妻子的丈夫，通常自称或被称为“爱妻家”[①]，也就是典型的老婆迷。

客观说来，日本男性比较不擅长表达男女之间的爱情，因此，在旁人眼里看来是“爱妻家”的男人，往往会自称“恐妻家”[②]（妻管严）。

此外，生鱼片或某些日本料理旁边的固定配菜也称为“妻”。例如，生鱼片一定会搭配白萝卜丝和青紫苏叶、海草、食用菊，寿司则一定搭配甜醋姜片，咖哩饭一旁一定有福神渍（泡菜）……这些“固定陪在主菜身边”的配料都称为“妻”。

虽然身份是“妻”，但作用非常大。白萝卜丝的主要作用是吸收生鱼片的水分，并具有视觉性的色彩作用，而且可以帮助消化；青紫苏叶则有抗氧化及解毒作用；海草能调理肠胃；食用菊可以降低血压，也能让人放松心情。甜醋姜片具有清口及杀菌作用。这些都是先人根据长年的经验而搭配出的“药膳”，千万不要小看这个“妻”。

---

① 爱妻家：あいさいか。aisaika。

② 恐妻家：きょうさいか。kyousaika。

另一个“妻”更不能小看，那就是“稻妻”[①]。

“稻妻”意谓“稻子的丈夫”。古代日本，男女恋人或夫妻都称彼此为“tsuma”，也就是说，“夫”“妻”的发音都一样，不分性别。而稻子结实的时期，由于经常打雷，因此古代日本人相信是雷公让稻子结实，称闪电为“稻妻”，别称“稻光”[②]、“稻魂”[③]。

古时，“稻妻”的写法应该是“稻夫”，却因“tsuma”这个音固定为“妻”，才演变为“稻妻”吧。

闪电是“稻妻”，轰隆作响的则是“雷”[④]。“雷”原本写成“神鸣”，神明发怒的意思。

---

① 稲妻：いなづま。inaduma。

② 稲光：いなびかり。inabikari。

③ 稲魂：いなたま。inatama。

④ 雷：かみなり。kaminari。

舅·姑

在日文世界中，“舅”[①]指的是“公公”“岳父”，“姑”[②]则是“婆婆”“岳母”。

至于其他伯伯、叔叔、舅舅等长辈，一律称为“欧吉桑”[③]，姑姑、阿姨、舅妈等，一律称“欧巴桑”[④]。而为了区分到底是父亲这边或母亲那边的兄弟姐妹，通常会在称谓前加上对方的名字或居住地名。

假若父亲的姐姐住在千叶县，那就称为“千叶的欧巴桑”；如果母亲的兄弟都住在东京，那就在“欧吉桑”前加上对方的名字。

正因为如此，对外国人甚或日本人来说，日文的亲属称谓

① 舅：しゅうと。syu-to。
② 姑：しゅうとめ。syu-tome。
③ 欧吉桑：おじさん。ojisan。
④ 欧巴桑：おばさん。obasan。

看似简单，实则非常难懂，毕竟连邻居的大叔大婶也称为“欧吉桑”“欧巴桑”。

不过，古代汉语称丈夫的父亲为“舅”，称妻子的父亲为“外舅”，称公婆为“舅姑”（《礼记·内则》：“妇事舅姑，如事父母。”），称岳父母也是“舅姑”，可见日文汉字的“舅姑”或许只是承继了古代汉语的用法而已。

自古以来，婆媳关系便是人际关系处理中的疑难问题。倘若能将婆媳关系处理得好，那真是人生中最大的幸福了。

无奈，现代仍有许多婆婆（甚至丈夫）认为，女子嫁到男方家就必须顺从婆家的家规。当婆婆（或丈夫）的总会隐藏着一种“是我儿子（我）在养你”的优越感，却忘了“媳妇其实也是其他父母亲辛辛苦苦养大的孩子”这点。

换个立场来看，身为女婿的男子也应当努力好好对待岳父母，如此，妻子便会感觉：丈夫肯花心思去照顾、理解我父母，那他一定很爱我。可惜这些道理都是说起来简单、做起来很难的一本难念的经。

日本著名企业狮王公司，除了生产洗剂、肥皂、牙膏等日用品，也生产药品和化工产品。

近来，狮王公司内部的胃痛对策研究小组针对 500 名有胃痛经历的已婚男女，进行了一项“盂兰盆会长假与精神压力之关系”的意识调查。结果得知，有半数人对于盂兰盆会长假必须回老家或妻子娘家探亲这件事感到压力很重。

其中，有四成的人都经历过“嫁骚扰”[①]、“婿骚扰”[②]问题，而这四成的人之中，有七成的人因此而导致胃痛。

所谓“嫁骚扰”“婿骚扰”，意味口头上的性骚扰发言。

例如，公婆随意的一句：“还不打算生孩子吗？”这句话在媳妇听来就是“嫁骚扰”，因为这种问候似乎在责怪媳妇怎么还不怀孕，非常伤人，可以令媳妇躲在厕所偷偷猛吞胃药。第二句伤人的利器是“你是不是胖了？”

最伤女婿心的问候则是：“夫妻感情还好吗？”接着依次是：“还不打算生孩子吗？”“工作晋升了没有？”“你是不是胖了？”

总之，对日本媳妇和女婿来说，“孩子”和“体型”的话题是一种地雷。无论说者有心或无心，但听者有意，于是很容易导致媳妇或女婿憋成内伤，必须吞胃药以解忧排怒。

一般说来，纵使夫妇关系很好，但倘若与另一半的家族相

---

① 嫁骚扰：嫁ハラ，よめはら。yomehara。“ハラ”是英文“sexual harassment”的简语。

② 婿骚扰：婿ハラ，むこはら。mukohara。

处得不好，也会导致婚姻生活步入终局。其中，婆媳问题可以说是婚后最令人头痛的问题吧。

根据日本某项调查，婆媳关系不好的原因大致有六项。

一、婆婆与媳妇的爱好不一致。

二、婆婆喜欢插嘴管育儿方式。

三、婆婆喜欢插嘴管夫妇问题。

四、婆婆老爱说些否定媳妇娘家家庭环境的话。

五、婆婆插嘴管要生几个孩子的问题。

六、任何事都站在丈夫（儿子）那一边。

“爱好不一致”和“插嘴管育儿方式”的得分一致，都占第一位。

其实即便同年龄的人，只要双方爱好或兴趣不一致，交往起来也会觉得很无趣。何况是年龄相差两轮以上的同性，而且又是婆媳关系。

媳妇和婆婆当面翻脸的最大原因则是“婆婆插嘴管育儿方式”。看来，媳妇对其他事都可以忍耐，但事关孩子时，就算对方是丈夫的母亲，似乎也忍不下去。

我总觉得，婆媳之间保持适度的距离比较好。可惜这世上有许多男性不明白这点，他们总以为“婆媳问题”并非什么大不了的事。

我一直忘不了往昔发生过的一件真实例子。

话说有个丈夫，在亲戚中是个有名的孝子，凡事都听老母亲的吩咐。当这种人的媳妇，真的很命苦。老母亲病倒后，媳妇为了照顾长期卧病在床的婆婆，自己也病倒了，而且比婆婆早一步离开了人世。

媳妇临终前对丈夫说：“我很后悔没有早点和你离婚。我嫁的人不是你，我是嫁给了你母亲。”

丈夫失去了媳妇后，一面要照顾老母亲，另一面又要顾自己的生活。这时，他才理解媳妇生前到底为他们做了什么事。结果，这位丈夫竟迁怒到老母亲身上，不但把老母亲送进养老院，此后也不再见老母亲一面。

这个例子中的男士实在很愚蠢。媳妇过世前，他根本不把婆媳关系当一回事，还认定媳妇照顾躺在病床上的婆婆是天经地义的事，不容怀疑。媳妇走了后，即便他内心很后悔，也不应当迁怒于老母亲。

我实在无法理解这名男士的心理，他这样做，只会多出一名含恨于黄泉的女人呀。

话说回来，亲生母亲和女儿之间难道不会陷入类似“婆媳问题”的窘境吗?

就日本来说，近几年，“母亲和女儿”的微妙关系颇为引人注目。不过，书籍或媒体报道的大多为母亲仰赖女儿的例子，但在现实生活中，女儿成人之后仰赖母亲的现象其实也很多。

日本女性是 20 世纪 80 年代以后才开始大量进入职场，她们一方面累积社会经历，另一方面也养儿育女。但是，她们能够让家务和工作两立的理由，大多在于“母亲的内助之功”。

根据《日经女人在线》调查，坐上管理职位宝座的女性，13.3% 是靠娘家帮助，才得以让工作和家庭两立。而在金融、保险业职场工作的女性，更多达 26%。

这些母亲为了帮助女儿在社会上巩固地位，每天到女儿家“免费上班”，代女儿做家务事并照顾孙子。接受调查的女性平均年龄为 44 岁，母亲大约 65 岁以上。

有些老母亲由于第二个外孙还未升初中，必须继续帮女儿做家务事、照顾外孙，而感到完全失去了自己的老后人生。有些老母亲则因为外孙都上了初中，可以自己看家并打点三餐，不再要外婆每天来报到后，顿时陷入空虚状态，不知该怎么度过往后的人生。

按理说，女人自 50 岁后半至 60 岁前半这段时间，是非常重要的“老后生活助跑期”。许多人都在这段时间筹备自己的晚年生活。有人重新拾起往昔的兴趣，有人找同性朋友到处旅游，毕竟这个年代的女性还很健康。60 岁后半以后，即便想去旅游，恐怕也去不成了。

但前述那些母亲却在这个重要的时段，忙着代女儿养外孙。等外孙长大了，自己大约也 70 多岁了，到时候就算想拾起往昔的兴趣或找伴去旅游，也为时已晚。而女儿也不一定会“报恩”，因为当初全力支持女儿进入社会的人，正是母亲自己。

说难听点，是母亲为了圆自己的职业女性梦想，才会全力支持女儿进入社会。站在女儿的立场来看，她们会想：我已经圆了你的梦想，在社会上和男人竞争，好不容易才有了现在的地位，还让你每天都可以和外孙见面，这不是已经报恩了吗?

如此，悲剧便发生了。

日本在辅助职业母亲这方面的社会体系极为脆弱，导致全职工作的母亲的负担非常大，不得不借助娘家母亲的力量。可是，这样一来，等于牺牲了娘家母亲的“老后生活助跑期”。

看来，无论专业主妇或在职场工作的妈妈，似乎都很辛苦。

娘·嫁

华人学日文时的最大陷阱，便是华人往往认为“既然日文和中文都有汉字，就算不会念，应该也看得懂意思”。

然而，这正是双方在用文字交流时，会产生误会甚至伤害彼此感情的盲点。

一方面，日文中确实有汉字，但日文中的汉字并非全盘来自古代中国。虽然许多汉字的用法都承继了古代汉语的解释，只是，除非有心去查字典，否则大部分现代华人大概也不甚理解该字的古时意义。

另一方面，现代汉语中的名词或形容词，有一些采用日本输出的汉字词汇。尤其在社会和人文科学方面的名词与术语，有不少是日本输出的外来语与概念。也就是说，汉语世界的知识分子在高谈阔论中所使用的词汇，有相当一部分是从日本输出的。

因此，日本人和华人用文字讨论社会问题或人文科学方面的话题时，应该比较不会出问题，若要进一步深入彼此的家庭或个人隐私时，就很可能会出纰漏。

“娘”[1]这个字词，在日文世界中是“女儿”“少女”“女子”的意思，但在现代汉语世界中则是“母亲”“妈妈”的意思。不过，古代汉语的“娘”，一般指年轻女子，多指妙龄少女。由这点看来，日本的“娘”，用法应该承自古代汉语。

现代汉语中的“姑娘”“新娘”“娘子”“娇娘”等，也意为年轻女子；长辈或年纪比较大的已婚妇女，便冠上“大娘”“婶娘”之类的称呼，依旧有个“娘”字。

有趣的是日语的“娘”字发音：musume。

据说，“musume”的“musu”源自古代日语的动词“生”“产”，接尾词加上意味“女”字的“me”，之后再配上汉字的“娘”，即成为女儿、年轻女子或少女。

“娘”的对义词是“息子”[2]，儿子之意，发音也是源自古代日语的动词“生”“产”，只是接尾词配上表示男子的“ko”。

① 娘：むすめ。musume。

② 息子：むすこ。musuko。

而“生”“产”的发音均根据日本神话中的“産霊”[①]神。换句话说，“娘”“息子”都是神赐给人类的礼品，是大自然的产物，而非父母的私有财产。

“箱入娘”[②]表示足不出户的千金小姐，对父母来说是放在箱子里珍藏的宝物。同义词为“爱娘”[③]。

那么，“嫁”呢？

女儿嫁出去后，就成为别人家的媳妇，因此日文的“嫁”[④]是汉语的“媳妇”之意。不过，男子对第三者称呼自己的妻子时，也用“嫁”这个词。而在平成时代的年轻人网络用语中，便成为“认真在考虑婚嫁的对象”。“花嫁”[⑤]是新娘，“许嫁”“许婚”[⑥]是未婚妻、未婚夫。

至于著名的日本古典怪谈或民间传说的“狐嫁入”[⑦]呢？狐狸嫁人吗？

是的。本来是狐狸嫁人的意思，亦即在夜晚望向远方山野

---

① 産霊：ムスヒ。musuhi。

② 箱入娘：はこいりむすめ。hakoirimusume。

③ 爱娘：まなむすめ。manamusume。

④ 嫁：よめ。yome。

⑤ 花嫁：はなよめ。hanayome。

⑥ 许嫁、许婚：いいなずけ。iinazuke。

⑦ 狐嫁入：きつねのよめいり。kitsune no yomeiri。

时，会看到排成一串的磷火（鬼火），而古时候的日本人认为磷火是狐狸口中发出的火光，因此将远方排成一串的鬼火，视为狐狸嫁人时，新娘坐着轿子摇摇晃晃，随从提着灯笼陪新娘走在山野中的婚嫁行列。

但在某些地区，“狐嫁入”则表示明明出着太阳却下雨的气候现象。熊本县的“狐嫁入”意指雨后出现的彩虹，爱知县则表示下冰雹。

总之，“狐嫁入”有很多意思，依各地的风俗习惯而异。例如德岛县，视怪火为狐狸的葬礼，而非婚礼。现代日本各地的神社或地方祭典仍有不少“狐嫁入”祭神仪式。仪式目的通常是祈求农作物丰收或生意兴隆。

女房・旦那

日本家庭若有孩子，通常比照儿女对父母的称呼，丈夫称妻子为妈妈，妻子称丈夫为爸爸，以免造成混乱。如果家里有祖父母，一家之主的丈夫称自己的父亲或母亲时，也是比照孩子对祖父母的称呼，叫成爷爷[①]、奶奶[②]。

女房[③]= 家内[④]= 细君[⑤]= 妻

旦那[⑥]= 亭主[⑦]= 主人[⑧]= 夫

---

① 爷爷：お爺ちゃん：おじいちゃん。oji-chan。

② 奶奶：お婆ちゃん：おばあちゃん。oba-chan。

③ 女房：にょうぼう。nyo-bo-。

④ 家内：かない。kanai。

⑤ 细君：さいくん。saikun。

⑥ 旦那：だんな。danna。

⑦ 亭主：ていしゅ。teishu。

⑧ 主人：しゅじん。shujin。

“女房”的“房”正是房间之意，“女房”原为“女官的房间”。平安时代中期以后，逐渐演变为“不用做煮饭、洗衣、清扫等家事劳动，拥有私人房间的高级女官”，或“同样不用做家事，在贵族宅邸服侍的上级女侍”之称，中世后期及近世初期[①]才演变为“妻子”的称呼。

遗憾的是，现代的“女房”必须做家务事，也没有自己的房间，所幸大半都有家电可代替往昔的体力劳动。

“家内”这个词，只要看字面，应该可以猜得出是汉语的“内人”。“细君”则取自古代汉语。据传，汉武帝下了一道旨意，打算把祭肉赐给朝臣，但负责分肉的官员迟迟不来，东方朔便擅自用自己的剑砍下一大块肉带回家。分肉官员于次日上奏皇上，皇上召见东方朔责问理由，东方朔回道：“朔来！朔来！受赐不待诏，何无礼也！拔剑割肉，一何壮也！割之不多，又何廉也！归遗细君，又何仁也！”皇上听后，笑着说：“使先生自责，乃反自誉！”复赐酒一石，肉百斤，归遗细君。

此外，日本妻子有时会向第三者自嘲为“押女房”[②]，意思是“不是丈夫求婚，而是自己硬送上门”。虽说是自嘲，但在第三

① 中世指的是12—16世纪，近世指16世纪以后。——编者注

② 押女房：おしかけにょうぼう。oshikake nyo-bo-。

者听来，这个词完全没有贬义，反倒有贤妻良母的褒义。

假如男方性格内向，容易羞怯，明明很喜欢对方，却说不出口，明明很想向女方求婚，却缺乏勇气开口，这时，个性比较积极的女方便干脆主动上门，自己登上妻子的宝座。日本的传说故事《雪女》或《鹤的报恩》，均为“押女房”的典型例子。

“旦那”本为佛教音译用语，意思是“檀越”“施主”。后来演变为“经济后援人”“资助者”，伙计称呼商家雇主或商人称呼顾客时都用“旦那”。到了现代，继而又派生成妻子对丈夫的尊称。就某种意义来说，丈夫确实是妻子和孩子的“经济后援人”。

“亭主”的“亭”字是建筑物之意，拥有一栋建筑物的一家之主就是“亭主”，无论那栋“亭”是租来或买来的。妻子对外称丈夫为“亭主”的习惯始自江户时代。“主人”也是妻子对别人称呼自己丈夫时的尊称。

话说回来，日本的百鬼夜行妖怪中有一种名为“青女房”[①]的女妖，满口用铁浆染成的黑齿，披头散发，两道眉毛粗得类似毛毛虫，服装是平安时代的十二单衣女官打扮，终年栖身于

① 青女房：あおにょうぼう。aonyo–bo–。

幽暗荒废的古旧宅邸，每天面对镜子精心梳妆，貌似在等待某人来访。

“青女房”原本指进宫不久的小嫩姜女官，所以仍不会化妆。据说可能做了什么错事被赶出宫廷，没脸回老家，只得住进深山，最终变成女妖。

另一个“青女房”则因疲劳过度导致双眼充血，不停扇着手中握的那把扇子。这个女妖暗示穷神，即便不停扇扇子（劳动），照样操劳得双眼布满血丝。

前述两种女妖好像都可以和现代的家庭主妇联系在一起？

每天对着镜子精心梳妆等丈夫回来，丈夫却视若无睹，宁愿在外面巴结小三；每天做家事带小孩操劳得双眼充血，仍住不起百坪豪宅……呜呜，那干脆住进深山当女妖算了。

说到夫妻关系，新西兰奥克兰大学的研究人员，曾进行了一项与男女心理有关的实验。实验内容是：“假如丈夫全部接受妻子的主张，结果会怎样？”

首先，研究人员实际选了几组夫妇，只对丈夫说明了实验规则。所谓规则，是丈夫对妻子的所有意见和要求都要点头说“是”。即便丈夫认为妻子的主张错误，或对妻子的行为心怀不满，也只能全盘接受。

如此，一面让夫妇过着“丈夫俯首帖耳”的生活，一面记录以十等级为指数的人生幸福度及满足度的“生活质量表”。实验前的男性平均指数是 7，女性是 8。

实验进行到第 12 天，便以预想不到的形式闭幕。因为男性的心理状态太过严重，研究小组判断，再继续下去，丈夫会很危险。于是中止了实验。

仅仅 12 天，男性方面的“生活质量”指数从 7 急剧降至 3。女性则从 8 微增至 8.5 而已。研究人员感叹道：“倘若另一半老是赞同对方的意见，反倒对婚姻生活有害无益。”

或许有些人认为“发生口角时很麻烦”“不想让对方讨厌自己”，而不向另一半主张自己的意见。可是，为了与对方建立良好关系，压抑自己的主张似乎反倒会弄巧成拙，看来，在某种程度上，彼此发生冲突或争吵是必要的。

貴方·君·様·殿·仆·俺·私

“様”① 是日本人称呼对方时最常用的敬称，也是一种间接称谓，表示对方的所在（场所），相当于汉语的“先生”“小姐”，但使用范围比汉语广。也就是说，无论男女老幼，已婚、未婚，只要在姓氏后面加个“様”，绝对不会出错。

“様”再简略一点便是“san”（桑）。“桑”是“様”的讹音，也是目前最普遍的尊称。

江户时代称呼眼前的人时，通常不会直接叫对方的名字，而是称为“御前様”②，意思是“眼前您这位人士”，和“様”一样，都是间接称谓。

往昔称皇室为“内里様”③，是因为他们住在宫内的“内

---

① 様：さま。sama。
② 御前様：おまえさま。omaesama。
③ 内里様：だいりさま。dairisama。

里”[①]，现代人称皇室时，为了表示亲近，都在“様”前加上对方的名字。近年由于韩流风盛行，某位韩国演员的昵称竟然是“勇様”[②]，让人有点啼笑皆非的感觉。

年轻女孩迷安倍晴明，叫他“晴明様”[③]，这还有道理，毕竟对方是已过世的先祖。可是，日本中年女人迷韩国演员，叫对方为“様”，我只能苦笑。但换个角度来看，可以迷演员迷到这种程度，也算是一种幸福吧。至少，我从未迷演员或歌手迷到会叫对方为“様”的程度。

“様”之后又出现“殿”[④]这个尊称。读过江户时代小说的人，应该对此称呼很熟悉，就是“大名”那类身份的尊称。这原本也是出自建筑物的代名词，身份愈高，住的地方或房间也比一般人高，所以尊称为“殿”。之后演变为“どの，dono”。鹿儿岛方言有“お松どん，omatsudon”“西鄉どん，saigodon”之类的称呼，这也是一种尊称，只是带地方口音而已。

江户用词“御三どん”[⑤]，是指在江户城内负责掌管厨房杂事

---

① 内里：だいり。dairi。
② 勇様：よんさま。yonsama。
③ 晴明様：せいめいさま。seimeisama。
④ 殿：との。tono。
⑤ 御三どん：どんおさんどん。osandon。

的女官，沿用到现代，变成家事一般都是“御三どん”，虽然日本年轻人大概很少用这个词。

称呼爸爸和妈妈时的“欧多桑”“欧卡桑”，其实也是敬称，只不过用在父母身上时，算是一种亲昵敬称。其他类似“欧吉桑”、“欧巴桑”、“欧尼桑”（哥哥）、“欧内桑”（姐姐）的称呼都是亲昵敬称。

万一不知道对方的姓氏，也不明白彼此的上下关系时，那就以“貴方”[①]、“貴男”、“貴女”的“阿娜达”代替。

一般说来，“阿娜达”是女生用语，也是一种尊称，是“某位人士”[②]的讹音，男生比较不常用。往昔用在夫妻、情侣之间，通常是女子这方尊称男子那方时的叫法，现代夫妻和情侣很少用“阿娜达”了，男女平等嘛，跟中国类似，通常直接叫名字。不过在第三者面前为表示抬高丈夫（恋人）身价，会在名字后加个“桑”。

即便如此，倘若对方看上去明显是长辈，当晚辈的便不能随便称长辈为“阿娜达”，这样会变成蔑称。

此外，男性长辈对男性晚辈用“阿娜达”时，当晚辈的人，

---

① 貴方：あなた。anata。

② 某位人士：あるかた。arukata。

皮要绷紧一点，因为你可能要挨骂了。

至于“君”[①]，通常是年长绅士或男性长辈对男女晚辈的称呼。不过，男生之间彼此的立场若同等，有时也会用“君”，此时，可能有两种口气，一是表示亲密，另一是指责、批评。女性对男性用“君”时，表示女方的立场或年龄比男方大。

但是，如果双方认识不久，男方的年龄比女方大，女方本来称男方为“某某桑”或“阿娜达”，途中却改变称呼，把汉语的“你”或英文的“you”改为“君”，那么，恭喜你，你大概已经赢得女方的芳心了。再继续加油，对方可能又会换成另一种称呼。

男性对女性用“君”时，如果对方不是职场属下，便应该是恋人或妻子。另一种情况是男方本来直接呼唤女方名字，却突然改称为“君”，这时，女方可要提高警戒，因为这表示男方已经在准备要对你说拜拜了。

“君”字的另一种念法为“kun”，通常连在姓氏或名字后，例如“山本君”（姓）、“桃太郎君”（名）。主要用在男生身上，尤其呼唤男同学或男性同辈、晚辈时，会在对方的姓氏或名字

---

① 君：きみ。kimi。くん。kun。

后加个“君”。

“君”是江户时代的汉学者普及开的称谓，这其实也是一种尊称，相对的自谦称呼是“仆”[①]。

“仆”和“俺”[②]都是日本男子的自称，女子可能不太懂男性改变自称时的心理变化。

仆：主观，弱。俺：主观，强。仆：诚实印象，心里不紧张。俺：自我主张最强，关系亲密。私[③]：客观，公共场合，普遍性，男女共通。

心理距离：私→仆→俺。

原来日本男子的自称还隐藏着彼此间的心理和感情距离？

另一个很常见的称呼是“ちゃん”（chan，发音为“酱”）。这是幼儿语，称呼小孩子用“酱”，小朋友称呼长辈时也用“酱”，例如称姨妈、伯母以及长辈妇女的“欧巴桑”，小孩子通常叫“欧巴酱”。称男性长辈的“欧吉桑”为“欧吉酱”。

我弟妹称呼我父亲时习惯用“多酱”，而非“多桑”，叫我母亲时则叫成“卡酱”。简单说来，叫对方“酱”时，彼此间的

---

① 仆：ぼく。boku。

② 俺：おれ。ore。

③ 私：わたし。watashi。

亲密度比叫“桑”时更浓密，也更随意。

总之，日语的称呼很麻烦，要看彼此间的关系而定；同时，又随彼此间感情距离关系的变化而变化。有时连日本人自身也无法判断，必须根据对方的口气和表情综合出整体印象，再看情形改变称呼。

食衣住行篇

散发・床屋

日本的理发店有“理容”[1]和“美容”[2]两种，按字面来看，前者似乎是男士专用的理发店，后者则看似女士专用的烫发厅。

其实两者并非依男女之分，而是根据法律所定的业务内容而有别。“美容师法”于1957年实施，“理容师法”是1948年，前后相差了9年，在这之前，“理容”和“美容”并没有分家。

“理容”和“美容”有何不同呢？简单说来，“理容”可以用刀，“美容”不能用刀。

“理容师法”规定理容师通过剪发、刮脸等服务为客人整理容姿；“美容师法”则规定美容师通过烫发、结发、化妆等方式让客人的容姿变得美丽。

双方都必须高中毕业后，再到日本厚生劳动大臣指定的专

---

① 理容：りよう。riyou。

② 美容：びよう。biyou。

修学校接受至少两年以上的培训，之后再通过国家资格鉴定考试，取得国家级证照后，才能正式成为理、美容师。

本来法律规定美容师不能用刀，但现代女生在化妆时也会要求刮脸，因此法律放松条款，允许美容师为客人进行“轻度的刮脸”服务。

虽然男士的理发、刮脸、整容称为“理容”，但大部分日本男士习惯称为“散发”[①] 和“床屋”[②]。他们不会说“我要去理容”，通常都说“我要去床屋”或“我出去散发”。

北海道、东北地方以及关东的人习惯说“床屋”，关西和四国、冲绳的人则说“散发”，混合一起用的仅有秋田、福岛、滋贺 3 个县。九州岛比较复杂，三种说法都存在。大分县用“散发”，熊本、佐贺、长崎用“床屋”，宫城、福冈、鹿儿岛则两种混合。

也就是说，日本全国只有 6 个县混合一起用，其他县均界限分明。这么说来，日本男士只要说想去“散发”或“床屋”，其他人便能听得出该人到底是不是本地人了？

话说回来，古汉语也有“散发”这个词，例如，《后汉书·袁

① 散发：さんぱつ。sanpatsu。

② 床屋：とこや。tokoya。

闳传》里有一句“遂散发绝世，欲投迹深林”；唐朝李白的诗《宣州谢朓楼饯别校书叔云》中也有“抽刀断水水更流，举杯消愁愁更愁。人生在世不称意，明朝散发弄扁舟”之句。

但是，古汉语的“散发”意味“解冠隐居”，因为古人留长发，平时要挽在头上，用簪子将长发盘住。现代汉语则表示“披头散发”。

而明治维新时的日本，就任官职的武士阶级就没有李白那么潇洒。明治政府于明治四年（1871 年）颁布“散发脱刀令”[①]，意思是“武士可以自由选择断发脱刀”，唯独穿礼服时必须佩刀。

当时的男士们乱成一团，结果，竟然出现了跟随潮流将长发剪成短发的女生，东京府只得于翌年再度颁布“女子断发禁止令”。明治天皇则于明治六年（1873 年）3 月 20 日断发。

据说，当天的明治天皇如常地让侍从把头发盘结成发髻，起驾至御学问所，回来时却变成短发，令宫内女官们看得目瞪口呆。此事经《新闻杂志》报出，民众才逐渐积极剪掉发髻。

按理说来，天皇的头发向来都是贴身侍从负责，明治天皇

① 散发脱刀令：さんぱつだっとうれい。sanpatsu datto- rei。

的断发却出自民间理发师。但据说仅一次，后来就一直由侍从剪发。

我想，当时的天皇侍从大概没有人会剪西洋头，明治天皇才会让民间理发师咔嚓地剪去发簪。那么，明治天皇剪掉发簪回宫那天，宫内的侍从们应该也会大惊失色，之后，连二赶三地去找民间理发师练习剪发吧。

据说，昭和天皇仍是皇太子身份时，才首次指定了民间理发师当“天皇的理发师”。

至于“床屋”，指的是断发之前专门为男士剃发并束发的理发师。大约起源于室町时代后期，当时的武士身边大多有随从或下人帮忙剃发并束发，但庶民没法自己把头发梳成“月代”[①]（前额至头顶部的头发全部剃光，使头皮露出呈半月形），只能找专家代理。

日本的理发业鼻祖是藤原采女亮政之[②]。

亀山天皇[③]时代，有一名京都直接听命于天皇的北面武士藤

① 月代：さかやき。sakayaki。

② 藤原采女亮政之：ふじわら うねめのすけ まさゆき。Fujiwara umenosuke Masayuki。

③ 亀山天皇（1257—1274）：かめやま てんのう。Kameyama Tenno-。第九十代日本天皇。

原晴基，因丢失了天皇的“九龙丸”宝刀，被革职而成为浪人。他带着儿子采女亮及家人，前往山口县下关，跟着一位新罗人学了剃发束发技术，并在下关开了一家束发店。

这名北面武士虽沦落于民间，却始终念念不忘龟山天皇，在店内设置了“床间”（壁龛），搁着祭拜龟山天皇的祭坛和藤原家的家传挂轴。之后，人们便称那家店为“有床间的店”，再逐渐简略为“床场”，最后变成“床屋”。

由于继承父业的采女亮于7月17日过世，因此直至昭和时代初期为止，日本全国的理发店都将7月17日定为休息日。

山口县下关市的龟山八幡宫有“床屋发祥之地”纪念碑，有兴趣的人不妨去看看。京都岚山车站附近也有一间小小的“御发神社”，奉祀的正是采女亮。

全日本只有这位神明专管人们的毛发问题。我打算等我老得“顶上”稀疏，必须戴假发时，再去向这位神明合掌祈求“发毛”。

寿司·鮨·鮓

提到鱼，我会马上联想到寿司。

“寿司”已经成为国际用词，现代汉语写成“寿司”，英文写成“sushi”，看到这两个字的人，脑中绝对不会浮出红烧猪肉或牛排。

“寿司”是音译字、假借字，日本江户时代通常写成“鮨”或“鮓”[①]。“鮨”和“鮓”均是古代汉字。

《尔雅·释器》记载“肉谓之羹，鱼谓之鮨”，意指肉酱叫羹，搅碎的鱼肉称鮨。“鮨”也指“鮨鱼”，鱼类的一种。在《山海经》中则是一种鱼身犬首的水兽，“其音如婴儿，食之已狂”。

“鮓”是一种用盐和红曲腌的鱼，也是一种用米粉、面粉等加盐和其他佐料搅拌切碎的菜，可以储存；亦泛指盐腌的鱼。

---

① 寿司、鮨、鮓：すし。sushi。

总之就是用盐、米等腌制，把鱼肉发酵后剁碎，煮熟后进食的食品。

这两个字传到日本后，便混为一谈，而“寿司”则是江户时代创出的音译词，有“司（掌管）寿”之意，表示在喜宴吃的食品。

“寿司店”和“鮨店”“鮓店”有何不同呢？

有人说，食材是鲜鱼的握寿司称“鮨”“鮓”，卷寿司及稻荷寿司、手卷寿司、色拉寿司之类的应写成“寿司”。也有人说，仅提供握寿司的叫“寿司店”，除了寿司还提供生鱼片等下酒菜的叫“鮨”“鮓”。又有人说，关西称“鮨”“鮓”，关东的“江户前”①寿司叫“寿司”。

有关这点，众说纷纭，没有定论。要是在网络的留言版和人讨论，肯定会闯进一大堆路人甲乙丙丁，彼此争辩得面红耳赤。不过，根据统计，日本全国半数以上的店家都用“寿司”，只有两成的店家用“鮨”，不到一成的店家用“鮓”。

日本的寿司店有许多鱼字旁的汉字，除非职业和寿司有关，否则一般日本人也念不出正确发音。有些鱼字旁的汉字和古代

① 江户前：えどまえ。edomae。

汉语早已脱节，若是日本人和中国人用文字聊到鱼字旁的汉字，多半会闹笑话。

最常见的是“鮎”[①]。

“鮎”在日本是香鱼，但在中国大陆则为一种头大尾小、没有鱼鳞、体滑、有胡须、夜游水生物的“鲶”，中国台湾俗称“土虱”。

据说，日本奈良时代之前，“鮎”指的是鲶鱼，奈良时代之后才变成香鱼。而“鲶鱼”的日本汉字却又是“鯰”[②]，这个字似乎没有用错。但是，万一有日本人到中国大陆或中国台湾的淡水鱼料理店，用笔写下“鮎，塩烧”，过一会儿，服务员捧出一盘大鲶鱼，日本人岂不会像漫画中经常出现的形象那般，眼睛瞪得骨碌碌，脑袋瓜四周布满了大大小小的疑问号？

另一个鱼字旁的汉字是“鮭”[③]。

古代汉语的“鮭”原本指河豚，现代也称河豚为“赤鮭”“刺鮭”，但日本的“鮭”是红肉鱼类的鲑鱼。

---

① 鮎：あゆ。ayu。

② 鯰：なまず。namazu。

③ 鮭：しゃけ。syake。

其他如“鰒”[①]，原为鲍鱼，在日本却是河豚。而日本称鲍鱼的“鮑”[②]，古代汉语指的是盐腌的咸鱼，孔子便曾说过“与不善人居，如入鲍鱼之肆”。

或许，古代百济人带来盐腌的海生贝类“鰒”，教古代日本人说“这是鮑”，于是，“鮑”便成为那个贵得要死的“鲍鱼”而一直流传下来吧。

另一个“鯡”[③]字，古代汉语是鱼子的意思，在日本则指背部青黑色、腹部银白色的青鱼。在现代汉语和日语则似乎通用。

“鱧”[④]，《康熙字典》记载：“身体圆筒形，青褐色，头扁，性凶猛，捕食其他鱼类，为淡水养殖业的害鱼。肉可食，亦称‘黑鱼’、‘乌鳢’。”俗称雷鱼或南方蛇头鱼，但在日本则是“海鳗”。两者明明不一样，怎么会张冠李戴呢？

最有趣的是“海老”[⑤]，虾。

“虾”字，古代汉语写成“鰕”，传到日本后，最初也是鱼字旁的“鰕”。但虾有胡子，又驼背，于是日本人干脆改称为

---

① 鰒：ふぐ。fugu。河豚。

② 鮑：アワビ。awabi。

③ 鯡：にしん。nisin。亦写成“鰊”。

④ 鱧：はも。hamo。

⑤ 海老：えび。ebi。蛯、虾。

“海老”，继而创造出“蛯”字。

“海老”“蛯”和“虾”有区别吗？当然有。

在海中游泳的樱虾、桃虾之类的通通写成“虾”，只有在海底步行的伊势龙虾才有资格称为“海老”“蛯”。英语也有Lobster、Prawn、Shrimp之分。汉语特地加个“龙”字，也表示虽然同样是虾，但“此虾”非“彼虾”吧？

现代日本人通常把“虾”“海老”写成笔画比较少的片假名，区分不是那么严谨。

卵·玉子

“卵”和“玉子”[①]发音一样，均指“鸡蛋”，因此很容易混同，不过，两者其实存在着决定性的差异。

“卵”是烹调前的鸡蛋，亦即保持着自母鸡体内生下来时的原状，“玉子”则指烹调后的各种鸡蛋料理。也就是说，带壳的生鸡蛋是“卵”，经火烹调的煎蛋、煮蛋、温泉蛋等则称为“玉子”。

若再将分类范围扩大，便是所有能孵出小鸡的有精蛋叫作“卵”，而一般供食用的市售无精蛋称为“玉子”。鱼类、昆虫类的蛋也称“卵”，不称“玉子”。

超市卖的鸡蛋，有大小不同的区分，价格也不一样。我一直很好奇，鸡蛋的S（小号蛋）、MS（中小号蛋）、L（大号蛋）、

---

① 卵、玉子：たまご。tamago。

LL（特大号蛋）到底怎么决定的？难道还要测量尺寸吗？

查了一下，原来鸡孵化后，经 150 天左右便开始生蛋，此时生的蛋为 S 小号蛋。到了 180 天前后，母鸡逐渐进入最会生蛋的时期，此时的蛋为 MS 中小号蛋，这一时期约持续一个月。

其后又会生产稍大的 M 中号蛋，3 至 4 个月后再生稍大的 L 大号蛋，之后再生 LL 特大号蛋；然后产蛋率会逐渐降低。大约在孵化后 550 天左右，蛋鸡就会被淘汰。

原来如此。原来是按母鸡的成长状态去分类。可是，孵化后 550 天左右就要被淘汰，表示母鸡在一岁半前后便会失去生产能力？孵化后 150 天左右开始下蛋，那就是出生后五六个月大。

那，一只鸡的寿命到底有多久呢？

据说一般平均能活到 7 至 8 年，不过，吉尼斯世界纪录中最长寿的鸡好像活了 14 年。而最近的新闻也报道英国有一只母鸡活了近 17 岁，过去只产下两枚鸡蛋，之后再也没有下过蛋。

除非把鸡当作宠物养，否则一般人只会视鸡为经济动物，根本不会考虑到它们的寿命及下蛋期间。若非为了写这篇文章，我可能也不会想到要去查鸡的寿命。

不过，我以前养狗时，每天都要带狗出门到树林里散步，那时期，曾经认识了一位“鸡友”，对方也是每天带宠物出来散步，但她的宠物是一只五彩缤纷，看上去非常漂亮的鸡。我想，那应该不是普通的蛋鸡，而是外形很像鸡，却不会飞的某种鸟类吧。

最近，每天三更半夜时分，我家远处都会传来鸡鸣。是公鸡的啼叫声，而且只有一只。我很好奇，便有事没事向邻居打听，却始终打听不出到底是谁家养了宠物鸡。

毕竟在这种住宅区，没有人会养经济性的动物，再说，既然只有一只鸡啼，表示那一定是养来当宠物的。说实话，我已经十几年都没有看过活生生的鸡了。若想看，大概要到动物园才能看到。倘若近邻有人养鸡，我倒真想时常去串门子，和饲主聊一些养鸡诀窍。

我家有 7 个猫孩子（本来只有 6 个，3 个最年长的老猫相继过世后，又收养了因邻居搬家而遭弃养的 4 个可怜猫孩子，总计 7 个），绝无可能有养鸡的机会。要是我一时兴起，买了刚孵出的超可爱小鸡带回家，恐怕不到半个钟头，我家就会发生惨不忍睹的凶杀案。而且是那种明知凶手是谁，却不能惩治凶手的凶杀案。

话说回来，蛋鸡从毛茸茸的小鸡到成鸡五六个月大就会下蛋，平均每只蛋鸡约可下 200 个蛋，寿命也就会短了两三年。听说一般养鸡场在蛋鸡失去下蛋能力后，就会把鸡卖掉或送往屠宰场。如此算来，蛋鸡的平均寿命就只有一年半左右。

对人类来说，会生蛋的母鸡具有利用价值。可公鸡呢？据说大型工厂式农场为求产值，小鸡刚孵出便将小鸡依性别分类，挑出没有生产价值的小公鸡，再送往堆田区，成为其他动物的饲料……

客观来说，蛋鸡还算好命，虽然它终其一生只有下蛋的任务，但毕竟会下蛋。最可怜的应该是肉鸡，一般寿命只有短短两三个月就祭入人类的五脏庙。

如果把鸡当宠物养，鸡会不会认主人呢？我以前问过养鸡人家，听说宠物鸡不但会认主人，也听得懂自己的名字，更会跟在主人身后亦步亦趋。

再回头来看看汉语“卵”和“蛋”的差别。

《说文解字》曰："凡物无乳者卵生。"《说文解字注》则记载："人及鸟生子曰乳。兽曰产。此云凡物无乳者卵生。"

意思是，不需要哺乳的叫卵生。只是，光如此说明，根本不清楚到底是什么卵呀。卵也有很多种类的呀。

再去查“蛋”，《汉典》说是名词，为“禽类或龟、蛇等所产的卵”；在中国台湾地区发行的《国语辞典》解释为“鸟类和爬虫类所生带有硬壳的卵，受精之后可孵出小动物。”《康熙字典》则为“俗呼鸟卵为蛋”。

这么说来，鸟类、爬虫类、两栖动物所生，带有硬壳，受精后可孵出小动物的“卵”是“蛋”；没有硬壳，仅有一层胶状物质包覆，例如青蛙、蟾蜍类的叫“卵”。

原来人类女性的“卵巢”正是基于没有硬壳才称为“卵”？可问题又来了。“以卵击石”的“卵”，到底有没有硬壳呢？再去网络查，总算查出来。

“蛋”本来是流行于南方的口语，古籍中都用“卵”，没有“蛋”，后来随着宋以后经济文化重心南移，再借明清时期的《红楼梦》《西游记》等白话小说的流行，把口语“蛋”吸收进小说中，于是很快便成为书面语，被广泛使用。

如此看来，“以卵击石”的“卵”应该是有硬壳的“蛋”。

一品·料理·野菜·青果·白汤·山菜

日文的"一品"[①] 是一盘;"料理"[②] 当名词用时，是"菜肴"，当动词用时则为"烹煮";"一品料理"便是"一盘简单的小吃"。"天下一品"[③] 就是"天下第一""天下无双"之意。

日文的"料理"起初和汉语一样，用在"料理实务""料理后事""料理国政"上，都是"处理""照顾"之意，后来逐渐演变为"料理菜肴"，最后就变成菜肴的专用词。

"野菜"[④] 一词，就字面上来看，似乎是"野生的蔬菜""自生于山野，没有经过人为栽培的可食植物"。其实日文的"野菜"泛指一切蔬菜，山野中自生的可食植物称"山菜"。

---

① 一品：いっぴん。ippin。

② 料理：りょうり。ryouri。

③ 天下一品：てんかいっぴん。tenka ippin。

④ 野菜：やさい。yasai。

“野菜”俗称“青物”[1]。如果在日本看到招牌写着“青物屋”的商店，那就是专门卖青菜的蔬菜店。不过，现代的蔬菜店通常用“八百屋”[2]这个词，比较少见“青物屋”。

日本自平安时代起便有在城市贩卖自家生产的蔬菜的小贩。到了江户时代，随着城市的发达，应消费者的要求，才开始出现专门卖蔬菜的店铺。

江户时代，日本人还没有吃肉的习惯，因而蔬菜店卖的都是素食，所有干货、海藻、树木果实、草根树皮（中药药材）等，都是商品，于是称为“八百屋”。“八百”即“八百万”[3]（无数）的简称。

18 世纪以后，当朝者才限定“八百屋”只能专卖蔬菜，而蔬菜类别又分为叶菜类、根菜类、茄果类等。城市的蔬果批发市场从近郊农家购买蔬菜，之后再卖给零售菜铺。蔬果批发市场则称为“青果市场”[4]。

“白汤”[5]并非白色的汤，亦非用猪骨熬出来的高汤，而是

---

① 青物：あおもの。aomono。

② 八百屋：やおや。yaoya。

③ 八百万：やおよろず。yaoyorozu。

④ 青果市场：せいかしじょう。seika shizyo－。

⑤ 白汤：さゆ。sayu。

“白开水”。不过，这个词显然沿用自汉语，《水浒传》第二十五回就有这么一句：“那妇人先把药倾在盏子里，却舀一碗白汤，把到楼上。”

据说，每天早上醒来时，先喝一杯 150 毫升的白开水，大约花 5 分钟至 10 分钟慢慢喝，可以暖和肠胃，继而提高消化能力及全身的代谢能力。能冲掉体内的废物，洗净肠胃，促成排泄。

想要改善便秘的人，不妨试试看。想减肥的人也可以试试看，每天早上盛一杯矿泉水搁入微波炉，加热约一分半钟，白开水的温度便会达到 40℃至 50℃左右，正好适合饮用。

由于日本的自来水可以直接喝，所以日本人向来没有喝白开水的习惯，不知从何时开始，日本女性之间竟流行起喝白开水的健康美容秘方。连《日本经济新闻》也报道过。据说最好一天喝三四杯。

至于“山菜”[①]，也就是汉语的“野菜”，自古以来在日本就很受喜爱。最常见的“山菜”有：

蜂斗菜[②]：别名“冬花”“款冬”“款冬蒲公英”。原产日本，

---

① 山菜：さんさい。sansai。

② 蜂斗菜：ふきのとう。hukinoto−。

多年生草本植物。早春采取其花蕾，炸成天妇罗最好吃，当味噌汤的料也不错，或者剁碎和味噌掺和一起，做成“款冬味噌”。

日本的超市每年早春都会摆出栽培种的蜂斗菜。做款冬料理时，必须于事先氽烫一下，再放入冷水中，以去掉涩味。

猪牙花[①]：原产于日本，多年生草本植物。因鳞茎含有淀粉，可以加工做成片栗粉[②]（日本太白粉）。只是，日本现在的片栗粉大多用马铃薯加工制成，因为马铃薯的成本比较低。真正的片栗粉反倒比较少见，而且价格也比较昂贵。

猪牙花很漂亮，花色呈粉紫色，在日本别称“春天的女神”。采取时，抓住根附近的茎，轻轻往上一拉，便能轻易地连带白色的茎一起拔起。花和草迅速地煮过一次后，可以凉拌也可以炸成天妇罗，或者油炒，或做成汤，做成醋拌凉菜也很好吃。

茖葱[③]：多年生草本，自生于北海道和近畿以北的亚高山地带的针叶林，以及混合树林带的水湿地，大部分都在国立

---

① 猪牙花：カタクリ。katakuri。

② 片栗粉：かたくりこ。katakuriko。

③ 茖葱：行者葫。ギョウジャニンニク。gyo-zya ninniku。

公园等自然保护区繁殖。北海道人习惯称为“阿伊努葱”[①]。蒜味很重，却是在日本早春山菜中，可以列入“天下一品”的味道。

采取茖葱时，必定用剪刀或小刀一根一根小心翼翼地切下，免得连根拔起。先迅速煮过一次，再放入冷水中，之后再烹调。做成汤或油炒、凉拌菜都可以。当作火锅材料或烤肉配料也很好吃，亦可生吃。据说北海道的阿伊努族族人通常在初春大量采集，晒干后，当作一年间的食材。

辽东楤芽[②]：在日本的嫩芽天妇罗中，算是最经典的“一品”。

九眼独活[③]：俗称“土当归”。香味很浓，日本人很喜欢吃。俳句季语是“晚春”。

经典吃法是炸成天妇罗，不过，茎抹味噌生吃也不错，或者做成醋拌味噌。为了避免土当归变色，调理前最好在醋水中浸一下。

我个人觉得，土当归天妇罗比楤芽天妇罗更富野趣。

---

① 阿伊努葱：アイヌネギ：ainu negi。

② 楤芽：タラノメ。taranome。

③ 独活：ウド 。udo。

其他还有紫萁[①]、欧洲蕨[②]、薤白[③]（俗称“山蒜”“野蒜”）、魁蒿[④]、杉菜[⑤]，等等，种类非常多。我家院子也有很多不知何时自生的“山菜”，只是我不大会分辨，老是叫邻居来帮我分辨并采集。

① 紫萁：ゼンマイ。zenmaiz。
② 欧洲蕨：ワラビ。warabi。
③ 薤白：ノビル。nobiru。
④ 魁蒿：ヨモギ。yomogi。
⑤ 杉菜：スギナ。sugina。

身体健康篇

丈夫·大丈夫

汉语的“丈夫”[1]是“老公”;“大丈夫”[2]是“富贵不能淫，贫贱不能移，威武不能屈”之有志气的男子。日文的意思却是“健康”“结实”“耐用”与“不要紧”“没问题”“放心”。

明明笔画一样，为什么意思会相差这么远呢?

古汉语的“丈夫”意指身高一丈的男子。周朝以八寸为尺，十尺为丈，成年男子高八尺左右，因此以“丈夫”为男子通称。“大丈夫”是男子中的男子，特别勇敢刚毅的男子，既“能屈能伸”，又“志在四方”，所以是“大丈夫”。

“丈夫”传到日本后，本来也是“大男子”的意思，明治时代以后，才逐渐从“大男子”演变为“强壮”“坚固”“健康”“结实”“耐用”的意思；“大丈夫”则加强语气为“不用

---

① 丈夫：じょうぶ。zyo–bu。

② 大丈夫：だいじょうぶ。daizyo–bu。

担心”“没有危险”，继而演变成“不要紧”“没问题”“放心”之意。

只是，夏目漱石在小说《我是猫》中，便已经把“大丈夫”当作“不要紧”“放心”的口语，由此看来，一般人可能更早就用了。

如果有日本人说：“我很丈夫，大丈夫。”请各位不要嘲笑对方，人家说的是“我很健康，请你放心”的意思啦。

或许有人会问，汉字传进日本之前，日本固有的和语中没有与“丈夫”同义的词吗？

当然有。成年男子或强壮刚毅的男子，和语是“masurao”，音译字是“益荒男”。

不过，和语的“益荒男”亦有“武人”“士兵”“猎人”之意，可能不是指所有成年男子，而是指“比一般男子更高、更强壮”的男子，汉语的同义词应该是“伟丈夫”，毕竟体弱多病的男子不能当武人、士兵、猎人。

“益荒男”的反义词是“手弱女”[①]。不要从字面猜想成“弱女子”，真正的意思是像柳条那般柔软优美的女子，婀娜女子、

① 手弱女：たおやめ。taoyame。

窈窕淑女之意。

“女丈夫”“女中丈夫”的日文是“男勝”[1]。没有写成“勝男”，不知是不是含有“女子再怎么豪杰，也胜不过男子”的隐意？

江户时代的人形容“男勝”女子为“鉄火肌”[2]，这倒是可以从字面猜出个一二。既然是“鉄火”，性格必定很热血。

NHK 大河剧《八重之樱》的主人公新岛八重（绫濑遥饰），13 岁时便能扛起 60 公斤重的米袋，而且连续扛了 4 次……若是现代，大概可以去当举重选手。

她哥哥从江户带回最新式的荷兰制步枪，她学会后，击中 45 米的靶。会津战争时，她女扮男装，腰佩大小两把刀，手持连发步枪，身上绑着 100 颗子弹，并在战场开大炮。而且在所有固守城池的女子中，她是第一位断发的女子。

年号改为明治后，她又在日本第一家公立女子学校执教鞭。于京都举行基督教婚礼后，住在有洋式厕所、洋式厨房的洋房，骑着自行车在京都市内兜风。称丈夫为“爱夫”（当时“爱”这个字仍不普遍），导致人们骂她是“恶妻”“烈妇”，完全是个典

---

① 男勝：おとこまさり。otokomasari。

② 鉄火肌：てっかはだ。tekkahada。

型的“型女”。

丈夫新岛襄非常爱这个被世人视为“恶妻”的妻子，在寄给美国朋友的书信中描述：“她的外表不是十分美丽，但生活方式很潇洒（很帅）。”

丈夫过世后，她又在护士学校当教师。若要用文字描述她的一生，大概需要不少“日本首次”“京都首次”的形容词。

新岛八重可说是极为先进的女子，她始终走在时代先端，思想行为都很自由飒爽，是真正的女中豪杰，真正的“鉄火肌”女子。

水虫

知道“水虫”[1]长什么样子吗?

既然有“水”又有“虫”，想必是在水中生活的软骨动物吧?

《说文解字》曰：“鱼，水虫也。象形。鱼尾与燕尾相似。凡鱼之属皆从鱼。”我看到这条，差点跌破眼镜。原来鱼是水虫?

再去找“虫”字，曰：“有足谓之虫。无足谓之豸。”这下又迷糊了。鱼有“足”吗？难道古代中国的“鱼”是一种有脚的软体动物?

再继续看，原来还有一句：“其尾皆枝。故象枝形。非从火也。”意思是，鱼的尾巴并非“燃”“煮”“焦”等字下面的“从

① 水虫：みずむし。Mizumushi。

火”四点，而是类似燕尾的两个叉叉。再仔细看“鱼”的小篆文，尾巴果然分叉，没有脚。这就对了嘛。

《说文解字》的撰著者许慎是东汉人，当时，刻写着甲骨文的龟腹背甲和兽骨都埋在地底下，许慎应该没有目睹过甲骨文。但《说文解字》中的小篆“鱼”字，长相确实有点类似我们现在吃的“鱼”样，既非虫，亦非豸，也不从火。甲骨文和金文的“鱼”字最像真正的鱼。尤其金文的“鱼”，简直就是图画。

现代汉语的“水虫”则指水生动物的总称，也特指有害的水生动物。那么，日文的“水虫”到底是什么呢？

我不清楚日本的“水虫”有没有“足”，但我知道它既非鱼也非豸，更非虫。据说，“水虫”很喜欢高温潮湿的环境，因此，据说全世界中，“水虫”最密集的地区是中国香港（无从查证）。

日本的夏天也是高温潮湿，大约有一点五成的人与“水虫”共居。欧美诸国的气候，湿度比较低，不大适合“水虫”居住，但也并非完全没有。西方人称“水虫”为“athlete's foot”，也有“水虫”药。

英文都写出来了，大概有不少读者读到这儿时，已经猜出日本的“水虫”到底是什么玩意儿了吧。

是的，正是俗称的“香港脚”，古籍称为“田螺疱”“风邪脚气”，正式名称是“足癣”。庐山真面目是真菌感染长成的一种癣类皮肤病。英文称为“运动员脚”，是因为运动员老是穿运动鞋，鞋内高温潮湿，导致运动员很容易患上香港脚。

据说，日本第一位罹患香港脚的人是坂本龙马。因为坂本龙马很喜欢穿类似现代马靴的皮鞋，他本人也确实患了足癣。当然这只是开玩笑的，日本平安时代的古籍早就有“水虫”的记载，只是当时似乎将手足的所有皮肤病统称为“水虫”，并非专指足部的皮肤病。

真正开始认识“足癣”的时代似乎是江户时代，那个时代就称“足癣”为“水虫”。当时的记录记载，在水田里工作的农夫常患这种皮肤病，因此当时的人认为真凶应该是水田里的虫，所以取名为“水虫”。江户都市区的人通常都穿草履及木屐，比较少见患足癣的人。

至于汉语“香港脚”的名称起源，似乎众说纷纭，找不到直接的文献根据。但曾在香港大学任教的陈君葆（1898—1982）教授于1944年8月3日的日记中写道，他不爱穿塑料鞋，因为曾有穿几天就得香港脚的经验，接着提到香港脚的名称起源，说：“上海人称之为香港脚，香港人原称之为‘星加坡脚’，星洲人却称之为曼尼剌脚，曼尼剌人称之为什么，我可没细考查。”由此可见，香港脚似乎也并非起源于香港，而是来自外域。

大概因为不常穿鞋的关系，我从来没有患过“水虫”。毕竟我终日躲在家里打稿，而在家时，通常赤着脚走来走去，冬天时也顶多穿一双厚袜子而已，甚至懒得套上室内拖鞋，因此感染上足癣的概率较低吧。

听说，“水虫”很会装死。当它们遭遇外用药的攻击时，会变成球状细胞，簌簌掉落，结果在地板或其他地方虎视眈眈地伺机，待有人踏上它们时，它们又会活过来，算是一种耐久细胞。难怪“水虫”这么难治。

日本人常说，竹子职人和炭烧职人罕见“水虫”患者。日本东京私立北里大学卫生系教授针对此说法做了研究，并发表了竹醋液具有白癣菌抗菌成分的研究成果报告。至于木炭，并非木炭本身对“水虫”有效，而是烧制木炭时产生的木醋液能够防霉，最近的研究又得知木醋液对白癣菌有效。

如此看来，古人的教育程度虽不如现代人，但他们留下的智慧结晶绝对比现代人的知识有用。

不过，长时间让皮肤浸在醋酸中可能会引起炎症，最好不要自己乱治一通，还是去看医生比较保险吧。

根据日、美调查统计，日本的“水虫”男性患者大约占

9.8%，女性患者则为 4.3%。美国的男性患者约占 2%，女性患者则为 1.5%。

“水虫”果然和气候有关。不过，美国患者的患部多是手、脖子、头部，日本患者的患部多是脚趾、脚掌。

此外，日文的“脚气”[①] 是汉语的“脚气病”，一种缺乏维生素 B1 的病，和“脚”无关。

---

① 脚气：かっけ。kakke。

我慢·辛抱

无论古代汉语或现代汉语，基本上都是一语一音一字，大多是两个音合成一个词。

例如“上下”“仁义”“贤者”“道路”，“上”有其固定意思，“下”也有其固定意思；“道”和“路”都是同一个意思，但两个字合起来比较有安定感。英文和日文则不同，单音没有其固定意义，必须合起来才能构成一个词。

也因此，日本人在明治维新后接触到西方国家的各种观念思想、科学、医学时，通常采用两个字合成一个词的规则去创制新词。

然而，同样遵循两个字凑成一个词的规则，明治人创出的“教室”“人民”“大陆”“解放”“学校”“学生”“人脉”“内科”“外科”等，都可以从字面猜出其意义，而400多年前的江户人却创出许多莫名其妙的词汇。

把“商”和“商壳”合起来成为“商壳”[①]，形容生意、做买卖，这还说得过去，但“我慢”[②]和“辛抱”[③]呢？怎么看都觉得牛头不对马嘴。

“我慢”本来是佛教用语，“一切诸慢，凡慢有我，比贪瞋痴三毒更毒”“我慢者，谓踞傲恃所执我，令心高举，故名我慢”，亦即自高自大、侮慢他人的意思。

往昔的日本也是将“我慢”解释为“傲慢”“自高自大”，后来逐渐变成“倔强”“顽固”，最后再演变为感情“不表外”“不外露”，于是就变成现在的“忍耐”“容忍”“克制”的意思。

只是，按字面来看，江户人也并非胡诌瞎编，正因为视“我”为一己之中心，心中只有自己，认为地球是绕着“我”转的，人才会自高自大。那么，只要让这个“我”比别人慢一步或缓两下，也就是“忍”一下，问题不是会比较容易解决吗？

既然“我慢”是“忍耐”之意，各位看到“瘦我慢”[④]这个

---

① 商壳：しょうばい。syo-bai。

② 我慢：がまん。gaman。

③ 辛抱：しんぼう。sinbo-。

④ 瘦我慢：やせがまん。yasegaman。

词时，应该也可以猜测出其意思吧？正是硬着头皮忍耐、硬撑、打肿脸充胖子的意思。

至于“辛抱”，“辛”正是“辣味”，韭、薤、葱、蒜、姜的五辛，亦是“艰辛”“辛酸”的“辛”。将这种“辣味”“辛酸”抱在怀中，便和“我慢”一样，同样是“忍耐”之意。

不过，“我慢”和“辛抱”也有相异之处。

“我慢”主要是压抑精神上的痛苦或忍受肉体上的不快，不让“我”的内心感情发泄出来；“辛抱”则表示忍受外在环境的困苦，奋力向前的意思。也就是说，同样是“忍耐”，“我慢”的忍耐中仍存在着一个“我”，连当事人也无法预知这个“我”到底何时会爆发。

简单说来，“我慢”的敌人依旧是内在的“我”。

但“辛抱”的敌人则为外在环境，例如家里贫穷、被革职、高考落榜等。不过，家里贫穷并非等于你终生注定都是穷人，失去职场的人或许可以再找到条件更好的职场，只要改善了这些外在条件，你就不用继续“怀抱着辣味”。

“我慢”基本上缺乏“希望的光芒”，“辛抱”则有“太阳会再度上升”的期待。因此，碰到困难时，我们能“辛抱”就尽量“辛抱”，但最好不要“瘦我慢”。

譬如在职场或人际关系中，耐着性子做自己不想做和讨厌做的事，便是“我慢”，这是一种被动的忍耐。“辛抱”则是为了世间、为了他人，或为了实现自己的梦想，伴随努力而来的辛苦。

如果被人强迫做一件事，当事人做起来确实很辛苦，然而，若是自己发奋主动克服困难，便不会视辛苦为辛苦。前者正是“我慢”，后者则为“辛抱”。

为了自己的生活，为了得到收入，“我慢”是必须的，只是，过度的“瘦我慢”则会带来反效果。

总之，“我慢”倾向消极，“辛抱”倾向积极。

过度的“我慢”只会令“不满”愈积愈多，变得更讨厌本来就讨厌的事，最终会在不知不觉中爆发。“辛抱”则不同。

为了达成目的的“辛抱”具有肯定意义。给人一种在欢欣雀跃的等待心情中忍耐现状的印象。一面忍耐，一面接近梦想。

不过，“我慢”另有“饶恕”“原谅”之意。例如：

今度[①]だけは我慢してやる。（我就原谅你这一次。）

① 今度：こんど。kondo。

猫背・猫舌・猫足・猫额・猫车・猫粪・猫目石・猫柳

“猫背”[①] 是“驼背”之意。这个词不用解释，无论家里有没有养猫，大致都能理解日本为何称“驼背”为“猫背”吧？

我只是不明白，为何汉语是骆驼？日语则是猫呢？无论尺寸或外形，骆驼和猫都相差太远了。

“猫舌”[②] 形容吃饭怕烫、怕吃热食的人。汉语中似乎没有类似的形容词，可能因为中国菜多是大火煮成的，和平日习惯吃寿司或生鱼片的日本人不同吧。

“猫足”[③]（脚）指走路不出声的人，另一个意思是桌凳等器具的猫式腿。

---

① 猫背：ねこぜ。nekoze。

② 猫舌：ねこじた。nekojita。

③ 猫足：ねこあし。nekoashi。

“猫额”[1]意味面积窄小、极其狭窄的地方，只有巴掌大的地方。经常用在“我家只有一个猫额大的院子”之类的句子里。

“猫车”[2]就是以人力推动的小型独轮车。在建筑工地、农地、花园中都是不可或缺的运载工具。

据说把独轮车颠倒时，外形很像猫背，所以称为“猫车”。另一种说法则为推动独轮车时，会发出类似猫的咕噜咕噜声，因而称为“猫车”。正确语源不得而知。

“猫粪”[3]指将拾到的东西归为己有。因为猫咪便便后，会用砂土将便便掩藏起来，而“粪”的发音“baba”则是幼儿语。据说这个词是江户时代后期出现的，在这之前没有这个词。

“猫目石”[4]是“猫睛石”“猫眼石”，英语的“Cat’s eye”。这是珠宝中稀有而名贵的一个品种，由于猫眼石的光现象与猫眼睛一样，能够随着光线强弱而变化，因此而得名。

“猫柳”[5]是“细柱柳”。在日本，无论山间的溪流畔或市内的小河边都可见到野生的“猫柳”，是杨柳的一种。因为比其他柳

---

① 猫额：びょうがく。byo-gaku。

② 猫车：ねこぐるま。nekoguruma。

③ 猫粪：ねこばば。nekobaba。

④ 猫目石：ねこめいし。nekomeishi。

⑤ 猫柳：ねこやなぎ。nekoyanagi。

类早开花，日本人视其为宣告春天来访的植物之一。

开花期是三至四月。雌雄异株，雄株和雌株各自开雄花和雌花。高约三米。特色是显眼的银白色毛状的穗状花序，“猫柳”的称呼正是源于穗状花序与猫尾巴相似。穗状花序也经常用来插花。别称“狗尾柳”[①]。

全世界有众多喜欢猫的人，不过，像日本人这般在生活各方面都用“猫”来形容的民族应该很罕见。

日本文化与猫脱不了关系。直至今日，无论在文学或语言方面，猫始终仍是主角之一。或许，日本人的性格与猫相配吧。

1336 年至 1573 年之间的 237 年，是日本的室町时代。当时，猫是贵重的赏玩动物，完全与“驱逐老鼠”的本性无关。为了不丢失贵重的猫，很多贵族都用项圈绑住猫。结果丰臣秀吉发出“不准将猫绑住”的禁令，让猫恢复随便溜达的习性。多亏这个禁令，鼠害锐减。

据说猫从高度约三层的大楼掉落时，不会丧命，能安全着陆。可是，四五层左右的话，死亡率会增高。奇怪的是，六层以上的话，死亡率反倒会变得很低。因为从六层以上的高度落

① 狗尾柳：えのころやなぎ。enokoroyanagi。

下时，空气阻力会增大，愈接近地面，愈会失去加速，最后以等速掉下，猫于中途再反转一圈，便可以安全地双脚着地。

最后再来说一段小故事。

话说昭和三十一年（1956年）十一月，日本第一次南极观测队登上“宗谷”[①]破冰船，自东京港出港。这艘船上的动物除了非常有名的桦太狗“太郎”“次郎”，其实还有一只猫，另有一对金丝雀。

遗传学上极为罕见的“雄三色猫”，自古以来便被日本船员视为“守护神”，而这只南极猫“Takeshi”也是雄三色猫。不过，它在南极队员心里，并非“守护神”的存在，而是比较接近疗愈人心的“吉祥物”或“宠物”。

第一次南极观测队于昭和三十二年一月，在南极的翁古尔岛上陆，11名越冬队员在当时刚设立的昭和基地和猫“Takeshi”一起度过冬天。

雄三色猫是船的守护神，“Takeshi”应该留在“宗谷”才对，却因为队员舍不得放它回国，才一起住进了昭和基地。失去了守护神的“宗谷”，在回程途中遭厚冰围困，最后经当时苏联最

---

① 宗谷：そうや。so-ya。为日本初代南极观测船，是少数现存旧帝国海军的舰艇。船名以北海道北部宗谷岬与桦太之间的宗谷海峡命名。

新的破冰船“鄂毕”号救援，总算成功摆脱浮冰。

越冬期间，“Takeshi”因碰触了通信机器的4000伏特高压电流，差点触电而死，三天三夜不省人事，所幸保住一命，翌年昭和三十三年四月回到东京的日出栈桥。

回国后，在南极救助了“Takeshi”一命的报务员，抱着“Takeshi”回家，打算让它在家里度过舒适的余生。不料，当天夜晚，“Takeshi”突然行踪不明，自此以后便再也没有出现。

日本的南极观测队故事中，最有名的是高仓健主演的电影《南极物语》中的“太郎”和“次郎”，雄三色猫的“Takeshi”比较鲜为人知。

但东京台场的“船科学馆”陈列的“宗谷”船内，有一只猫玩偶，正是“Takeshi”的替身。其他另有绘本《小猫Takeshi，南极大冒险》，增补修订版附有“Takeshi”的照片，其中有一张是“Takeshi”在零下30℃中享受日光浴的雄姿。

教养学习篇

公家・大家・家人

现代汉语的“公家”指国家、机关、团体等，与私人、个人相区别。日语的“公家”[①]则为朝廷贵族与朝廷上级官员的统称，也就是天皇的近侍以及在皇宫工作的人，主要指官阶是“三位”[②]以上的世袭官员。

日本的官阶称呼和中国唐朝的官阶称呼不一样，唐朝是九品三十阶，日本是十八阶；唐朝是正一品、从一品，日本则为正一位、从一位。

日本的“品”是亲王、内亲王官阶，而且只有四品，亦没有“正”“从”之分。有资格继承皇位的是东宫皇太子，其他没有资格继承皇位的亲王或内亲王，便按照母亲的出生门第、年龄、经历以及社会评价给予官阶。没有官阶的亲王称“无品

---

① 公家：くげ。kuge。

② 三位：さんい。sani。

亲王”[①]。

简单说来，日本的“公家”即“公卿”。

古代汉语的“公家”指国家、朝廷或官府，在日本原本也是指天皇或朝廷，镰仓时代以后，称呼幕府将军、守护大名、武士等以武力效劳朝廷的阶级为“武家”[②]，因此便用“公家”称呼为朝廷办政务的文官。

现代汉语的“大家”指众人或所有人，有时表示“我们”“你们”或“他们”；古代汉语则指卿大夫之家、世家望族或大作家、大专家，其他另有对女子的称呼、夫之母的称呼、奴仆对主人的称呼等。

日本的“大家”[③]大致有三种意思，念法都不一样。一是大作家、大专家，这时要念成“taika”；另一是具有社会地位以及世家望族的人，这时便念成“taike”，最后一项则为房东的“ooya”。用在房东身上时，后面通常加个敬称的“桑”。

最麻烦的应该是“家”这个字吧，因为有四种念法。

---

① 无品亲王：むほんしんのう。muhon shinnou。

② 武家：ぶけ。buke。

③ 大家：おおや。ooya。

第一种“家”[①]，是艺术家、音乐家、专家的“家”。

第二种“家”[②]，是个人一家的“家”，如王家、张家、山田家、茂吕家等，其他如茶道的表千家、里千家。

第三种“家”[③]为自己的家里，我家、你家的“家”。

第四种“家”[④]则单纯指房屋的“家”。

“家人”也有两种念法。

第一种“家人”[⑤]，和古代汉语类似，在日本的平安时代指仆人，身份比奴隶高一阶，可以娶亲，不能买卖。只是，日本的奴隶制度大约在9世纪末至10世纪初便被废止，因此通常指仆人、下人。

到了江户时代，前面加个敬称的“御”，合成“御家人”[⑥]，则是将军的直属家臣，俸禄一万石以下。后来又分为有资格谒见将军的“旗本”[⑦]，和没有资格谒见将军的“御家人”。

---

① 家：か。ka。

② 家：け。ke。

③ 家：うち。uchi。

④ 家：いえ。ie。

⑤ 家人：けにん。kenin。

⑥ 御家人：ごけにん。gokenin。

⑦ 旗本：はたもと。hatamoto。

第二种“家人”[①]则和现代汉语的家庭成员同义。不过，日本的“家人”和汉语的家庭成员有点差异，明治时代的“家人”通常意为妻子和下女，所以现代人很少用。年轻一代的更不能用，毕竟父母亲或兄弟姐妹不能和下女等同吧。

另一个指手下、帮手、狗腿子、爪牙的词是“家来”[②]。光看汉字，应该猜不出到底是什么意思。其实是古代汉语的“家礼”，各家的家庭礼仪，这个词传进日本时，吴音念成“kerai”，汉音念成“karei”。

过了几百年，逐渐变成“尊奉礼法为主人效劳的人”，再演变为“主君的臣下”，汉字也由“家礼”转而为“家赖”“家隶”，到了江户时代中期，就都写成“家来”了。

而江户时代的大名家臣往往称为“家中”[③]，字面看似与“家里”“屋内”同义，其实不然，是大名的手下之意，为大名效劳的武士阶级的“藩士”[④]、家臣团。

千万不要认为反正这些词都是历史名词，现代日本人应该

① 家人：かじん。kajin。

② 家来：けらい。kerai。

③ 家中：かちゅう。kachu-。

④ 藩士：はんし。hanshi。

置之脑后了吧。正因为是历史名词，地位反而更稳固，不像一些流行新词，几年过后便遭大众抛弃。

附带一提，日本的姓氏“家中”[①]有三种念法。不过，姓“家中”的人很少，根据统计，全日本大约仅有 1000 人。想在 1 亿 2000 万的人口中偶然与姓“家中”的人邂逅，恐怕比中彩票还难。

① 家中：やなか。Yanaka。いえなか。ienaka。かちゅう。kachu-。

鬼·鬼子·鬼手

在日本，一提起“鬼”[①]，日本人通常会联想到卷发、头上长尖角、嘴巴裂至耳朵、口中露出獠牙、铜铃眼、肌肤常为红色或青色、上身赤裸、腰部缠一条虎皮、手握狼牙棒的“青鬼”[②]、“赤鬼”[③]。有点类似在中国《西游记》中登场的金角大王、银角大王或牛魔王。不过，日本的“鬼”介于神明与妖怪之间，很难给予其固定的形象。

简单说来，日本的“鬼”是日本妖怪、鬼怪、神怪之一。在民间故事或乡土信仰中，常象征“恶”“坏”的角色，既是可怕之物，亦是强悍凶猛的存在，与《礼记·祭义》中所说的“众生必死，死必归土，此之谓鬼”不同，亦与《春秋左氏传》说

---

① 鬼：おに。oni。

② 青鬼：あおおに。aooni。

③ 赤鬼：あかおに。akaoni。

的“人生始化曰魄，既生魄，阳曰魂”中的“鬼魂”“阴魂”相异。

据说，日本奈良时代便有“鬼”字的记录，首次出现在《日本书记》（720年）的钦明天皇五年（544年）十二月。

“有人占云，是邑人，必为魅鬼所迷惑。”

“彼嶋之人，言非人也。亦言鬼魅，不敢近之。”（“嶋”与“岛”相通）

从文中的“魅鬼”“鬼魅”这两个词来看，当时的用法应该和汉语的“鬼”一样，均指人眼看不见的神秘之物。只是，当时称呼妖魔和冤魂为“物”[①]或“丑”[②]，因此，“鬼”这个字在当时也读作“mono”“shiko”。

平安时代以后才读成“oni”。《和名类聚抄》[③]记载，是从意为“隐而不见”的汉语“隐”[④]转变为“鬼”。之后，因佛教的夜叉、罗刹等绘画的影响，逐渐演变为现在的“青鬼”“赤鬼”

---

① 物：もの。mono。

② 丑：しこ。shiko。

③ 和名类聚抄：わみょうるいじゅしょう。Wamyo-Ruijusho-。日本平安时代的工具书。

④ 隐：おぬ。onu。

形象。

古籍《今昔物语》或《枕草子》，均把“鬼”的外貌描述为妖怪、鬼怪之类，可见，日本自平安时代起便将日本的“鬼”和汉语的“鬼”分隔为不同之物。

那么，中国人最熟悉的“日本鬼子”之“鬼子”①，在日本又是什么意思呢？是“长得不像父母的孩子”，特别指“生来便有牙齿的婴儿”。另一个意思是“自幼便很粗暴的孩子”。

另一个“鬼子母神”② 则不是“恶”“坏”的象征，而是安产、育子的娘娘神或安产神，在日本是孕妇的守护神。

“鬼手”③ 是围棋、象棋用词，意为“出奇的招数”。

“鬼手仏心”④ 则形容外科医生动手术时，看似大胆地用手术刀切割患者的身体，其实是想拯救患者的性命，亦写成“仏心鬼手”。

话说回来，日本最有名的“青鬼”“赤鬼”是知名童话作家滨田广介 ⑤ 写的《哭泣的赤鬼》。

---

① 鬼子：おにご。onigo。

② 鬼子母神：きしもじん。kishimojin。

③ 鬼手：きしゅ。kishu。

④ 鬼手仏心：きしゅぶっしん。kisyubusshin。鬼手佛心。

⑤ 滨田广介（1893—1973）：はまだ ひろすけ。Hamada Hirosuke。

故事大纲如下：

很久以前，某深山里住着一个很想和人类做朋友的赤鬼，他在自家门口竖了个牌子，上面写着："这里是心地善良的鬼之家，欢迎各位光临。这里有好吃的点心，也有泡好的茶水，欢迎大家来品尝。"

但人类一看到他的长相便被吓跑了，更怀疑那招牌上写的是个圈套，没有人愿意到他家玩。尽管赤鬼每天都在桌上摆放泡好的茶水、刚摘下的野花、美味的点心，日复一日地等着，从日出等到日落，依旧没有人愿意登门造访。

如此过了一个月，来的尽是些森林中的动物。赤鬼非常伤心，只得拔掉告示牌。凑巧他的好朋友青鬼来了，听闻详情后，就为赤鬼出了如下的主意。

"我（青鬼）去人类村落作乱。你（赤鬼）趁机出现惩罚我，拯救村民，把我（青鬼）赶出村落，并借此向人们说明你（赤鬼）是善良的鬼。"

计划果然成功了，村民开始放心地来赤鬼家串门子，对他很友好。如此，赤鬼有了人类朋友，他感到很高兴。

日子一天天过去。某天，赤鬼突然想起，当人类开始来他家串门后，青鬼就不再来找他了。他记得，青鬼在村落作乱后，好像受了伤，跛着脚独自回到自己的深山。

赤鬼愈想愈不安，某天，他终于前往青鬼家探望。

不料，青鬼家却空无一人，只见门边贴着一张纸条：“赤鬼，你一定要与人类保持良好关系，过着快乐的日子。如果我们继续交往，人类可能会认为你也是坏鬼。所以，我出门远游去了，不过，我永远不会忘记你。永别了，你要保重身体。我始终是你的好朋友，在这世上，我最喜欢你。青鬼。”

赤鬼安静地读完纸条，沉默了一阵子，接着，泪如泉涌。

赤鬼想到自己唯一的好友，为了完成自己与人类交朋友的心愿而离去，不禁悲从中来，双手掩脸放声号啕大哭……

失去时，才明白对方是最重要的，却为时已晚。

那以后，赤鬼和青鬼就从未再相见了。

这故事乍看之下很简单，却不知怎么回事儿，令读者很难忘怀。孩提时代读是一回事儿，长大成人之后再读，又会有另一番感受。

读者可以解读为“友情”，亦可以解读为“爱情”，我却将之解读为“与异文化接触时，你必须付出极大的代价”。

至于到底是什么代价，可能因人而异吧。

歳・才

日本人在20岁时会面临两个重要节日，一是成人式，另一是当事人过20岁生日那天。同样是节日，两者的意义却有微妙不同，前者算是正式踏入成人世界的一种入伙仪式，后者只是每年必定会迎接一次的日子。

但是，日本的“歳”字有“才”“歳”[①]两种写法，两个字发音都相同。为什么会这样呢？据说，满20岁以后的人惯常写成“歳”，未满20岁的人则写成“才”。当然法律没有如此规定，只是按一般人的常识来说，小孩子可以写成“才”，大人则要写成“歳”。

这可能是字体本身所酿成的一种外观氛围影响了人们的感觉吧。“才”看起来干净利落，而且显得很有精神；“歳”看上

① 才、歳：さい。sai。

去像是一张布满皱纹的脸，看着这个“歳”字，脑中会不自觉地浮现出拄着拐杖的老人。

其实真正的原因在于日本人学习这两个字的时期差距。

“才”字，是所谓的教育汉字，小学二年级时便会学到。不过，小学二年级学的“才”是“才能”“秀才”之意的“才”，而非年龄的“才”。而“歳”则要等到初中后才会学到，这时的“歳”，正是“岁月”“岁暮”的“歳”。

如此一来，小学生便不会写“我今年八歳”中“歳”这个经常要说、要写的字。于是，往昔的老师便教学生写成刚学到的“才能”“秀才”的“才”，亦即将“八歳”写成“八才”，反正发音一样，总比让一个小学二年级的孩子在作业簿上写成平假名要好看得多。

之后，当学生升上初中，教师当然也会随着更换，而这些新老师中，并非每位老师都有耐性重新教学生说，“其实那个‘才’字不是年龄的‘歳’字……”云云。更何况，万一老师在教学生有关“才”字的来龙去脉时，凑巧有学生请假，那该学生岂非永远都解不开这个谜了？

也有语言专家表示，既然当初教学生写成“才”，待学生升上初中后，又要教他们说“其实不是‘才’而是‘歳’”，那不是会让学生更陷于混乱吗？

因此，直至今日，无论小朋友或成人，无论写成“才”或“歳”，任何人看了都明白其意。

但走上社会后，社会便有社会上的潜规则。倘若一名穿西装戴领带的堂堂大男人，在应征履历书中写自己的年龄时，写成“才”字，八成会被“三振出局”。考官看了履历书，肯定会暗骂：你又不是小学生，都 20 多岁的人了，难道连个“歳”字都不会写？

只是，一般市民到市政府或区公所、医院等机构填写数据时，因必须手写，通常会写成笔画比较简单的“才”字，这点在社会惯例上倒是允许的。

我在看网络匿名留言版的留言时，有时会根据对方把年龄写成“才”或“歳”，而去判断对方的大致年龄。若写成“才”，身份应该仍是学生；若是成人却写成“才”，那即便对方的教育程度再高，我也会视对方没什么教养。

日本 NHK 的字幕将年龄写成“才”字，是因为画面的扫描线会令字体坍塌，不得已才用“才”当作“歳”的代用字。这是基于易读性，完全为了方便观众看画面，并非 NHK 缺乏教养。

日本有一部名为《十四才的母亲》的电视剧，这也不是编剧人缺乏教养，而是按剧中情节，为了凸显剧中那位十四岁母亲的“才能”，故意用了“才”这个字。而日本作家村上龙也有一部名为《新工作大未来：从13岁开始迎向世界》的著作，是一本介绍各行各业的工作指南书，由于13岁已经是初中生，因此书名用的是“歳”字。

说来说去，最显著的例子是日文的“20歳”[①]。这个词，无论用计算机打字或查任何一部字典，得出的结果一定都是“歳”字。

学校的老师不会教前述这些知识，必须在个人步入社会后逐渐习得，这正是“教育”[②]与“教养”[③]的不同。

坦白说，用计算机打字时，我会选“歳”这个字，但如果必须在医院手写数据，我会不假思索地用“才”字。毕竟“歳”的笔画太多了，尤其近十年来很少有手写的机会，要我手写“歳”这个字，八成会写错笔画。

---

① 20歳：はたち。hatachi。

② 教育：きょういく。kyo-iku。

③ 教养：きょうよう。kyo-yo-。

“年龄”和“年令”[①]这两个词也是基于同样的道理，小学生用“年令”，中学生用“年龄”；手写时用“年令”，打字时用“年龄”。但“令”并非“龄”的简化字，仅仅是发音相同的代用字而已。

① 年龄、年令：ねんれい。nenrei。

椿·山茶花

对于我这种必须用两种汉字的人来说，日本汉字的鱼介类和植物名称很容易混淆不清。特别是植物，经常碰到明明同样的字，仔细一查，才明白根本就是驴唇不对马嘴。

比如“椿”[①]，在中国是落叶乔木，高达30米，树干挺直，树皮光滑，通常种成行道树。而且由于树龄很长，似乎是一种灵木，古代汉语甚至称父亲为“椿庭”，称父母为“椿萱”，祝人长寿时写为“椿龄”，比喻长寿叫“椿寿”。

在日本则为高约五六米的常绿树。一般人认为“椿”与中国的山茶花同类，日中字典也将“椿”翻译成山茶，其实两者完全不同。

中国的山茶花有很多品种，凋落时和其他花一样，一瓣一

① 椿：つばき。tsubaki。

瓣地飘落。日本椿往往在开得最旺盛之际，整朵花连着花托“扑通”一声掉落，如同日本武士斩首时那般壮烈，因此又别称“武士椿”[①]。

“椿”在日本是一种不能送给病人的禁忌花，大概也不能送给参加任何比赛的人，因为会落选。完整的红椿累累掉落一地的情景称为“落椿”[②]，暗喻死亡。“椿”这个名称在日本赛马界也是一种禁忌，据说会落马。

过去曾发生一起落马事件。一匹名叫“鹰椿”的赛马，本来被视为最有力的优胜候补，不料刚起跑，骑士便落马，比赛被迫中止。那以后，赛马界便不再以“椿”为马命名。

诗人或歌人通常很喜欢“椿”,“落椿”那种毫不留恋“扑通”掉落的死法，以及死后仍保持美丽花姿的神秘性，似乎能触动诗人的心弦。

茶道界的人也很爱“椿”，尤其冬天没有其他花可以装饰时，茶室便全是“椿”，因此茶道界的人称“椿”为“茶花女王”。请注意，日文的“茶花”[③]并非汉语的茶花，而是指茶室里

---

① 武士椿：もののふ つばき。mononofu tsubaki。

② 落椿：おちつばき。ochitsubaki。

③ 茶花：ちゃばな。tyabana。

摆设的花。

我认为，日本的“椿”就直接译为“日本椿”或许比较恰当，反正学名是“camellia japonica”。日本另一种“山茶花”[1]则为茶梅，是山茶科山茶属的常绿乔木，学名为“camellia sasanqua”。

“椿”和“山茶花”很难分辨，但只要仔细观察花的开法，还是可以分辨得出。“椿”的花瓣不会平开，通常呈杯状，“山茶花”的花瓣则是平开；“椿”落花时整朵“扑通”一直线落地，“山茶花”则一瓣一瓣慢条斯理地飘落。

其他如“柏”，明明是柏科柏木属，高约 30 米的常绿乔木，如侧柏、扁柏、香柏；在中国古籍中，地位和“松”同等，《论语·子罕》中，“岁寒，然后知松柏之后凋也”，通常象征永远、不变。但这个字传入日本后，不知何时竟变成山毛榉科的落叶乔木，也就是花期为 3 个月，果实在初秋时成熟的“槲树”。

日本于 5 月 5 日男儿节供奉的“柏餅”[2]，是里面包红豆粒馅或味噌馅，外层裹一片对折槲树叶的圆形及半圆形麻糬。这是因为槲树叶枯了后也不会掉落，要到翌年春天长出嫩芽时才

① 山茶花：さざんか。sazanka。

② 柏餅：かしわもち。kashiwamochi。

会落叶，所以取“子孙繁荣，代代相传”之意用在男儿节的喜宴上。

英文称日本“柏”为 daimyo oak，这个“daimyo”是领主、藩主的“大名”。为何英文会在槲树冠上“大名”的称呼呢？我查了许久都找不出答案，《日本大百科全书》也只是以潦草一句带过：“daimyo 的意思有各种说法。”

另外，汉语的扁柏在日文中是“桧”①，汉语的“桧”却是圆柏。

日本的“枫”②是槭树科的“枫”，汉语的“枫”有的则为金缕梅科的枫香树。据说往昔的日本也用“槭”这个字，却因日本进行了精减汉字运动，“槭”这个字不用了，于是只能用“枫”代替。

只是，“枫”又别称“红叶”③，两者有区别吗？原来“枫”指的是红得像火的叶子，而“红叶”则泛指发黄、发红的叶子。

总之，翻译小说时若碰到植物名，我就会头痛。一定要在网络上查个一清二楚，并且对照图片后，我才敢翻译成中文，

---

① 桧：ひのき。hinoki。

② 枫：かえで。kaede。

③ 红叶：もみじ。momiji。

否则会出洋相。

不仅植物，有些四肢动物或鱼类原产于日本，而外国也有不少日本没有的动植物，翻译时确实不能掉以轻心。所幸现代有网络，只要花时间查一下，大抵都能得到正确答案。

但也有查不出答案的例子，如“daimyo oak”，这个大概得拜托懂英文的人查查英文网站吧。

社会生活篇

会社・社会・個人・共和

根据斋藤毅先生的著作《明治的言词》，“会社”[①] 和 “社会”[②]，本来均源自古代汉语的“社”字。

古代汉语的“社”，表示“土地的守护神”，凡土地神、祭祀土地神的地方、祭祀土地神的节日、祭祀土地神的典礼，都是“社”。

用日本式来说，即为“村落神”。为了祭奠这位神明，村民逢节日的酬神庆祝活动便是“社会”或“会社”。这两个复合词，本来意义一样。

幕府末期，西洋文明涌向日本，当时的日本知识分子为了把西洋的新概念翻译成日语，花了不少心血。其中，“会社”“社会”被视为拥有同一目标的团体组织。

---

① 会社：かいしゃ。kaisya。

② 社会：しゃかい。syakai。

之后，“社会”被当作表示所有团体的“society”的译词而固定下来。“会社”则被当作以营利为目的的集团“company”的译词。据说，1874年（明治七年）年至1877年（明治十年），才固定了两者的区别。

在日本，“社会”这个词最初出现在1826年（文政九年）青地林宗[①]译的《舆地志略》[②]，不过，当时是被当作修道院“kloofter”的译词。

“社会”这个译词扎根之前，明治人想出40多种译词。其中也包含“世间”这个词，不过，“世间”没有固定下来。毕竟“society”与个人的尊严不可分，而“世间”则完全没有个人尊严可言，因此未被采用。

多亏先人的努力，当时的日本人才能脱离传统的日本人际关系，重新组成另一种新的人际关系。

斋藤先生又说，在日本，“individual”的译词以“個人”[③]而固定下来是在1884年（明治十七年）前后，比“社会”这个译词足足晚了7年。

---

① 青地林宗（1775—1833）：あおち りんそう。Aochi Rinso-。日本物理学鼻祖。

② 《舆地志略》：よちしりゃく。Yochishiryaku。明治时代的世界地理书。

③ 個人：こじん。kojin。

也就是说，在这之前，日本不仅没有“個人”的概念，更没有“個人的尊严”这种想法，因此无论“社会”或“個人”的译词，对当时的日本人来说，均具有跨向新时代的决定性意义。

如今，“会社”和“社会”已经分离了130年。现在用这两个词时，如“为了社会”“为了会社”时，意义完全不同了。但是，对于某部分的日本人来说，“会社”和“社会”或许仍与幕府末期一样，毫无差异。他们到“会社”（公司职场）上班，等于参与“社会”，若失去“会社”，可能如同失去“社会”吧。

另一个“republic”的译词源由也很有趣。

据说，箕作阮甫[①]的养嗣子箕作省吾[②]翻译荷兰语的“republiek”时，向当时的老儒大槻盘溪[③]求教，老儒答说：“仿效西周时代的典故，就用‘共和’[④]好了。”原来《史记·周本纪》

---

① 箕作阮甫（1799—1863）：みつくり げんぽ。Mitsukuri Genpo。日本幕府末期的兰学者、藩医、日本最初的医学杂志创办者，译述、著述多达160册，范围包括医学、语言学、西洋史、兵学、宗教学。

② 箕作省吾（1821—1847）：みつくり しょうご。Mitsukuri Syo-go。江户时代末期的日本地理学者。

③ 大槻盘溪（1801—1878）：おおつき ばんけい。Ootsuki Bankei。江户时代末期至明治时代的汉学者、兰学者、炮术家。

④ 共和：きょうわ。kyo-wa。

有一段："召公、周公二相行政，号曰'共和'。共和十四年，厉王死于彘。"

周厉王出奔后，召、周二公摄政的十四年，号称"共和"。用现代话来说，就是国家主权在全体人民，不立君主的国体称为"共和"。

"republic"的意义正是不设君主，由人民选出的人成为国家代表的政治体制。这种概念，在近代化之前的日本是无法想象的，难怪当时的专家会找不到相称的译词。

虽然从中国古典文献中选出译词来表示"国王不在"的政治体制，这也和"republic"的原文意义大有差异。不过，"共和国"依旧作为"republic"的译词而扎根，现代人也沿用"共和国"这个译词，而且，中国亦把自己的国家称为"中华人民共和国"。

大手・小手・平手・手短・军手・切手

“大手”[①] 是大企业、大公司、大户头、大主顾之意，用在城堡建筑上，便是“前门”“正门”。日本全国各地都有“大手町”地名，表示往昔位于城郭正门附近的地方。

但另一个发音是“oode”，这时的用法则为“张开双臂”“大摇大摆”“无所顾忌”的意思。

“小手”[②] 是手肘和手腕之间的部位，或直接指“手指”。

小手が利く[③]：手巧。

小手を翳す[④]：把手罩在额上；手搭凉棚（张望）。

① 大手：おおて。oote。

② 小手：こて。kote。

③ 利く：きく。kiku。有效、起作用、好使。

④ 翳す：かざす。kazasu。举到头上、挥起、罩上、遮住。

小手先[①]：手工活。小聪明。

“平手”[②]则为“伸平的手掌”“巴掌”，用在下棋时表示“平下”“势均力敌”。

“手短”[③]并非说你的手很短，而是“简单”“简略”“扼要”。日语的“拜托你手短一下好不好？”意思就是要你“扼要地说”“简单地说”。

那么，“军手”呢？

“军手”[④]本来是“军用手袋[⑤]”的简称，旧日本军兵士用的手套，现在都指白色的工作用手套，是一种富有伸缩性的针织品手套，没有左右手区别，在现代是最结实且廉价的工作用手套。我经常在我家院子整理花花草草，这时就少不了“军手”。

“军手”起源于江户时代末期的弘化到安政年间（大约是1844至1860年）。当时为了不让士兵在接受近代武装训练时，光着手触摸枪支，令枪支生锈，于是让士兵戴手套。

① 小手先：こてさき。kotesaki。

② 平手：ひらて。hirate。

③ 手短：てみじか。temijika。

④ 军手：ぐんて。gunte。

⑤ 手袋：てぶくろ。tebukuro。手套。

一般认为长州藩（山口县）的下级武士为了枪炮队而将缝手套当作一种副业。1867 年，德川幕府创办了军队，手套的需求增大。

进入明治时代后，明治新政府又创设了大日本帝国陆海军，手套的需求在军队中益发高涨。此后才开始称为“军手”。

当时，以同样手法编织成的白袜子称为“军足”[①]，不过，这些称呼都不是军队取的正式名称，而是民间惯用的称呼。

据说“军手”是日本发明的，在第二次世界大战之前，也出口到亚洲、美国等。

我记得曾有人提出将“军手”改为“作业手袋”的意见，却因为日本的“作业手袋”五花八门，结果没有改成，直至现在，民间仍习惯用“军手”称呼园艺、家事清扫专用的手套。

骑自行车或摩托车时，戴着“军手”也可以保暖，又因为伸缩性很强，可以自由转动把手。

“切手”[②]则是邮票。

世界上第一枚邮票是 1840 年 5 月 1 日英国发行的黑便士。日本的第一套邮票则是 1871 年（明治四年）4 月 20 日（旧历

---

① 军足：ぐんそく。gunsoku。

② 切手：きって。kitte。

三月一日）发行的龙文邮票，一套四枚，面值各为 48 文、100 文、200 文、500 文。

日本为何称邮票为“切手”呢？

这是日本近代邮政制度首创者前岛密[①]先生指定的词。“郵便”[②]、“叶书”[③]等名词，都是他指定的。

日本自古以来便称呼能证明已付了钱并取得权利的纸条为“切手”，原为“切符手形”[④]的简称。因此对当时的人来说，“切手”是极为普遍的用词。

与“切手”有关的另一个词是“小切手”[⑤]。

按字面来看，既然“切手”是邮票，那么，“小切手”就是“小郵票”了？

错了。

“小切手”是“支票”。支票明明比邮票大，为什么冠上一个“小”字呢？

---

① 前岛密（1835—1919）：まえじま ひそか。Majima Hisoka。日本一元邮票的肖像。

② 郵便：ゆうびん。yu-bin。邮政、邮件。

③ 叶书：はがき。hagaki。明信片。

④ 切符手形：きりふてがた。kirihu tegata。切符：きっぷ。kippu。车票。手形：てがた。tegata。票据。

⑤ 小切手：こぎって。kogitte。

原来在江户时代，幕府支付给大名的工资是稻米，大名再卖稻米换来现金当收入。稻米交易时，中间的经纪人收的正是“米切手”[①]。交易是投标制，从产地送来稻米时，对方会给经纪人一张“米切手”，经纪人再根据这张“米切手”支付现金给大名。

到了明治时代，外国传入支票时，由于支票尺寸比“米切手”小，于是被翻译为“小切手”。

① 米切手：こめきって。komekitte。

新米·勉强·真面目·不出来·无心·得手·人夫·百姓

“新米”[①]有两种意思，一是当年收获的新米，另一是“新手”“新来的人”“生手”“新上任”。

当年收获的新米的反义词是“古米”[②]，但是，新手的反义词不能用“古米”，而是“古参”[③]、“古颜”[④]、“古株”[⑤]。

“新米妈妈”“新米爸爸”“新米社员”“新米教师”等，意为刚当上妈妈或爸爸，刚入职的员工，刚上任的教师。

“勉强”[⑥]并非汉语的“强迫别人做不愿意做的事”“牵强”，

---

① 新米：しんまい。shinmai。

② 古米：こまい。komai。

③ 古参：こさん。kosan。

④ 古颜：ふるがお。hurugao。

⑤ 古株：ふるかぶ。hurukabu。

⑥ 勉强：べんきょう。benkyo－。

而是“学习”“用功”“读书”的意思，另一个意思则为“知识”“见识”“经验”，还有一个意思是“少算”“让价”“贱卖”。

日语的“勉强”本来和汉语一样，都是“做不愿意做的事”，江户时代延伸为商人不愿意卖便宜一点，但为了给熟客面子，就少收点钱。明治时代以后，为了得到知识而努力被认为是一种美德，于是“勉强”的意义逐渐与“学习”类似，之后便演变为与“学习”同义。

“真面目”① 意为“认真”“老实”“踏实”“严肃”“诚实”“正派”等。

“真面目”的“真面”是“瞬”② 的“maji”，频繁眨眼之意。目不转睛凝视某物的“majimaji”，本来也是形容频繁眨眼的样子。“目”则为“眼睛”。

“真面”和“目”合起来，就表示紧张得不停眨眼，由于紧张，表情便极为认真，最后演变为“认真”“诚实”“严肃”之意。

到了近代，更不仅形容认真的表情，如因害怕而一直眨眼，表情僵硬，脸色变白等也称为“真面目”。“maji”和眼睛的

① 真面目：まじめ。majime。

② 瞬：まじろぐ。majirogu。

“me”，都是日本古来的和音，汉字的“真面目”是借用字。

“不出来”[①]是“做得不好”“收成不好”“歉收”“笨孩子”“失败”的意思。日语的“这孩子不出来”并非孩子不出房间，而是这孩子非常笨或长相很丑的意思。

“无心”[②]有各种意思，“讨钱”“索取”“天真”“热衷”“专心”“一心一意”等。

为什么“讨钱”“索取”会变成“无心”呢？因为“无”（缺乏）关怀对方处境的“心”。

“得手”[③]是“擅长”“拿手”，反之，“不得手”[④]便是“不擅长”“不拿手”。

“人妻”[⑤]是别人的妻子，但“人夫”[⑥]可不是人家的丈夫，而是“壮工”“民夫”“临时小工”之意，指从事体力劳动的人。

有时在网络上可以看到“日本人夫”“美国人夫”的形容词，但这要将“日本人”“美国人”和“夫”字分开来念，亦即“日

① 不出来：ふでき。hudeki。
② 无心：むしん。mushin。
③ 得手：えて。ete。
④ 不得手：ふえて。huete。
⑤ 人妻：ひとづま。hitoduma。
⑥ 人夫：にんぷ。ninpu。

本人”的“丈夫”、“美国人”的“丈夫”，而非形容壮工的“日本人夫”或“美国人夫”。

“百姓”[①]也非老百姓的百姓，而是“农民”“庄稼人”。有时是用来骂某些土里土气的人，或形容不解情趣的人。

汉语的“百姓”在周代至春秋时代，特别指姬氏、姜氏的奴隶主、领主阶级等宗族，而古时贵族以其所封之地为姓，因而称为“百姓”。古时候的中国庶民也是没有氏、姓的，只有贵族才有氏、姓。后来宗族逐渐崩坏，社会制度变更，“氏”和“姓”混淆，“百姓”失去贵族的意义，到了汉代，几乎所有平民都有姓，因此“百姓”便演变为“天下万民”“一般庶民”之意。

在日本，当初也是指天下万民。可是后来成为从事多种多样职业的特定身份名称，具体把上层统治者可以直接掌控的社会阶层对象称为“百姓”。这个阶层不仅包括从事农业的人，也包括从事商业和手工业、渔业的人。

中世纪以后，便逐渐把“百姓”的本分视为农业，农本主义的理念逐渐渗透并普及于民间。明治时代以后，就专指农民了。

---

① 百姓：ひゃくしょう。hyakusyo−。